Y0-ABN-143

翻开我家老影集

我心中的外公毛泽东

孔东梅／著

中央文献出版社

图书在版编目（CIP）数据

翻开我家老影集：我心中的外公毛泽东/孔东梅著.
北京：中央文献出版社，2003.11
ISBN 7-5073-1498-7
Ⅰ.翻... Ⅱ.孔... Ⅲ.①毛泽东（1893～1976）
-生平事迹②毛泽东（1893～1976）-家族-概况
Ⅳ.A752

中国版本图书馆CIP数据核字(2003)第097723号

翻开我家老影集——我心中的外公毛泽东

作　　者：孔东梅
责任编辑：张晓彤
装帧设计：合和工作室

出版发行：中央文献出版社
经　　销：新华书店
印　　刷：北京汇元统一印刷有限公司

787×1092mm　16开　12.5印张　150千字
2003年12月第1版　2003年12月第1次印刷
印数：1－40000

ISBN 7-5073-1498-7/A·133　定价：29.80元

本社图书如存在印装质量问题，请与本社联系调换。

翻开我家老影集

我心中的外公毛泽东

孔东梅／著

中央文献出版社

图书在版编目（CIP）数据

翻开我家老影集：我心中的外公毛泽东/孔东梅著．
北京：中央文献出版社，2003.11
ISBN 7-5073-1498-7
Ⅰ.翻...　Ⅱ.孔...　Ⅲ.①毛泽东（1893～1976）
-生平事迹②毛泽东（1893～1976）-家族-概况
Ⅳ.A752

中国版本图书馆CIP数据核字(2003)第097723号

翻开我家老影集——我心中的外公毛泽东

作　　者：孔东梅
责任编辑：张晓彤
装帧设计：合和工作室

出版发行：中央文献出版社
经　　销：新华书店
印　　刷：北京汇元统一印刷有限公司

787×1092mm　16开　12.5印张　150千字
2003年12月第1版　2003年12月第1次印刷
印数：1-40000

ISBN 7-5073-1498-7/A·133　定价：29.80元

本社图书如存在印装质量问题，请与本社联系调换。

目录

第三章 外婆贺子珍一家·79

第四章　江青及我姨妈李纳一家·167

序言

今年是我父亲毛泽东诞辰110周年。我心中总是有一种冲动，有一种特殊的思念，父亲的音容笑貌萦绕在心中。我想到韶山的祖屋，想到井冈的杜鹃，想到长征的风雨，想到雪山、草地，想到延河……也想到母亲身上的弹片；特别是想到我们这个家，想到家中的每一个人，想到做一点什么来纪念我的父亲和母亲。

看到女儿这本书，我感到十分欣慰。没想到：她在回国创业的繁忙工作中，能挤出时间完成这部虽说平常，但也很费心血的作品。这份礼物，是毛家第三代人献给外公的，也是献给我们家几代女性和母亲的。其中，一定有我父亲的母亲文七妹、哥哥的母亲杨开慧和我的母亲贺子珍，她们是后人一面明亮的镜子。

2001年，我在友人帮助下完成了回忆录《我的父亲毛泽东》的写作。那么，为什么我们母女不约而同想到写书呢？我想，除了抒发心中无尽的思念，更多的是在继承以我父亲为代表的老一辈的精神遗产。无论社会物质生活怎样发达，这种传统都不但不会被忽视，相反还会放射出永久的魅力。

东梅留学归来后，以她的外公和我曾经的家——菊香书屋为名，做起了文化传媒事业。我觉得这除了她自小受我影响爱看书以外，也与对事业的选择受到外公当年“激扬文字”、“书生意气”的启示有关。可能这本书像幼儿走路那样稚嫩，但毕竟是她人生旅途迈出的重要一步，我相信女儿能坚持走下去。

李敏

2003年9月9日

卷首语：老影集里见外公

1999年，我家经历一个多事之秋：爸爸突逝，妈妈大病，哥哥远在海外任所……撑起这个家的顶梁柱，骤然落在我这个刚工作几年的女孩肩上。怎么办？千头万绪，一时不知从何说起。

爸爸的死，缘于他在深圳遇车祸后骨折，做手术引发心脏病所致。我闻讯赶去，却没见到最后一面，这和1976年外公去世和1984年外婆去世时一模一样。而且，他是去广州参加纪念外公活动路上出事的。妈妈的病，始于战时的艰辛和异国的孤寂（用爸爸的话说：她没过一天好日子），但更多与痛失外公、外婆有关。有多少骄傲和荣耀，就有多少辛酸和悲凉，谁让她是毛泽东和贺子珍的女儿——李敏呐！

在我“豁出去”的急急奔走下，住院、报销、住房……，这些多年的“老大难”问题总算有了眉目。重新站起来的妈妈翻开了人生新的一页，而刚刚卸下重担的我脑海中又产生了一些新的思考。她的病使我警醒：不了解外公，不了解外婆，也就不可能真正了解妈妈。而此前，也许是我的外公太伟大，也太特殊，我对他的了解其实并不比同龄人多到哪儿去。为此，我踏上了一条走进外公和外婆精神世界的独特人生之旅。

和大多数20世纪70年代出生者一样，我没有亲眼见过外公——毛泽东，他也没亲眼见过我——孔东梅。不过，我和外公的的确确“见过面”——妈妈把我的照片带去给他看，再把他的照片带回给我看。照片成了我们祖孙互相“交流”的惟一方式。尊敬外公、怀念外婆的我，经常翻开家里那本老影集，读着用胶片定格下来的那段金戈铁马却又缠绵悱恻的岁月。

本书把百年毛家分成四个家庭，一一叙述每个家庭中母亲与子女，妻子与丈夫，儿女与父亲不凡而又平凡的情感生活。让我们一起走进那个逐渐远去的，既熟悉又陌生的伟人亲缘世界吧……

第一章　曾外婆、曾外公一家

第一节　百年家世

我去过不少次湖南，特别是长沙和韶山。故乡的山山水水给我以无限启示。

在湖南，我首先看到的是水。与少水的北方相比，这里一路上大江大河比比皆是。在外公乃至曾外公那个年代，沿着注入八百里洞庭湖的湘江就可以到达县城湘潭。他们的家乡——韶山冲是位于湘潭与湘乡交界处的一个小村子，曾外婆就是湘乡人。

湖南多山，韶山冲就在南岳衡山七十二峰之一韶山主峰韶峰包围之中。这一带山高林密，猛兽出没，是湘潭开发最晚的地区。有山有水，山青水秀，这是我最直观的看法。不过，山水阻隔必然交通不便。在没有公路和铁路的时候，从韶山走到湘潭要整整一天，到长沙就要两天了。据说外公年轻时曾感慨：要是一条路直通湘潭就好了！

1950年，湖南省准备修一条从湘潭到韶山的简易公路。由于大局初定，作为国家主席的外公不希望自己家乡在全省、全国有任何特殊，他函告湖南领导人停修这条公路。直到1959年还乡，外公走的还是汽车开过带起滚滚烟尘的土路。当然，现在我走的这条——他曾经一步步丈量的路已是又宽又平，与全国各地的高速路没有区别了。

我首先要探访的，就是那个中国人都很熟悉，屋前有一个小池塘的“上屋场”故居，那间坐南朝北的“凹”字型建筑（俗称“一担柴”）里，当年住的都是毛家人。中间堂屋两家共用，外公的家在东边。

毛家是韶山冲的外来户。元朝末年，毛氏先祖随族人从江西外迁

东梅在外公韶山故居前

云南，晚年又携妻儿内迁湖南。后人再从湘乡迁到湘潭，在韶山冲内开山辟地，定居下来。到了第七代，以伐木、打柴、狩猎和种田为生的毛家已经成了此地大姓。他们建起了宗祠，修出了族谱，为以后二十代子孙定下了排行，那就是——“立显荣朝士、文方运际祥。祖恩贻泽远、世代永承昌。”

本书的故事都发生在“祖恩贻泽远”这五代，特别是后两代人身上。

上屋场保持着20世纪上半叶中国南方农家的典型陈设，舂米房、农具房一应俱全，一切都让我觉得新鲜。这里有个细节——现在的故居是十三间半瓦房，那是曾外公在生命的最后一两年中把原来的五间半草房翻修成的。也就是说，在两位老人一生和外公在家乡的绝大部分时间，都是住的村里最低等级的草房。而当时的模样，现在已无从查考了。

还有一点，那就是外公两岁到六岁之间基本不住在这里，而是在湘乡唐家坨外婆家度过的。这居然和我童年与外婆在上海的经历颇为相似。为此，我又去了一趟外公的外婆家。实际上，建国后那里已修成水库，外公住过的文家老屋沉入水底，唐家坨也改名棠佳阁，真是沧海桑田。我所能做的，就是在大热天跑去为外公的“干娘”——石观音拍了一张照片。

原来，在家行三的外公之所以有个石三伢子的乳名，就是拜这位石头“干娘”所赐。而这一安排得自他的外婆——贺氏（巧了，也姓贺）。这是一位非常了得的老太太，孤儿寡母拉扯四个孩子，居然让文家兴旺起来，从穷苦种田人变成当地富户。看来，我的女性长辈不

外公的“干娘”——石观音（东梅摄）

管生在什么地方，都是不简单的人啊。

子孙来到祖先家乡，必须做的事情之一就是扫墓。我到外公曾经祭扫过的楠竹坨墓地，拍下了整修过的曾外公、曾外婆墓冢。现在那里已和1959年照片上看去的荒丘一堆完全不同。二老生前没享过什么福，连瓦房都没住两年，整修的动机可能出于后人的补偿心理吧。

不过，我也发现了可以肯定一直保持原样，绝无添改的一处地方——外公原配罗氏墓。她的遭遇让我心生触动，本书专门为其安排了一节内容。而她的墓就在曾外婆夫妻墓旁，外公不会不知道。那么，他向双亲墓前深深一躬时，心中所怀念的会包括发妻吗？没人知道。

想到这些，再放眼看看外公故乡的山水，我觉得好有一比：男人是山，是石，女人是土，是水。外公不是又叫石三伢子，常常自称是一块石头吗？他不是经常提到《红楼梦》中的说法：男人是泥做的骨肉，女人是水做的骨肉吗？在这里，山、石、水、土是和谐的，外公出生、成长在这里，也是和谐的。难怪他几十年对故乡魂牵梦绕。这些感受，我在北京，在上海，在纽约，都是不会产生的。只有在这里，在离外公本色最近的地方，我才能觉察到这一点。一次全新的人生之旅已经开始了，希望自己能始终保持这种亲近大地的姿态，因为外公已经和它融为一体。

曾外婆、曾外公之墓（东梅摄）

第二节　曾外婆与曾外公

这是外公毛泽东最早的一张家庭照。外公家族四代人和毛家女性、妻子和母亲照片后面的故事，就从此开始讲起吧。

首先说说曾外婆的名字。湘乡唐家坨文家祖坟在韶山，为祭扫时

外公与曾外婆母子合影

有个落脚的地方，与毛家定下婚事。文家13岁的七妹子被许给毛家十岁的独子毛顺生（我的曾外公），五年后成婚，文七妹于是成了毛文氏。100多年前，中国农村妇女“未嫁从父，已嫁从夫”，姓名就是明证。无论文七妹还是毛文氏，都是父姓、夫姓加排行而已。谁知，在《西行漫记》以及其伴生品《毛泽东自述》中，她却有了一个广为人知的名字：文其美。可那不过是未经校对的音译，曾外婆何尝有过自己的名字。

这种状况，好像到了曾外婆的外甥女这一代有了改变。我知道：外公的八舅有个女儿叫文静纯，是外公从小的玩伴。她的女儿参加了革命，建国后经常与外公见面。可我前两天翻看文家世系，还是没能找到外公这位表姐的名字。看来，社会的普遍进步，大众的观念更新是需要时间的，而且往往还会很长，哪怕仅在女人姓名权这种小事上。

后人和乡人都回忆说：自从作了毛家的媳妇，曾外婆每天起得最早，睡得最晚。丈夫是独子，幼年丧母，所以家里没有婆婆。她侍奉公公近20年，直到1904年送终。还有操持家务以及接连不断的生育，养大了三个儿子，同时至少遭受过四次儿女夭折的痛苦。直到1908年自己熬成婆婆，“接力棒”传下去，也已多病缠身了。

1918年，曾外婆病倒了，右腮后面长了个肿块，疼痛流脓。外公把老母接进省城长沙求医，住在好友蔡和森家调养，并留下这张至今惟一而且最全的母子、兄弟合影。刚见到这张照片的人是不是都说：真像啊！是的，如果没有这张照片，谁能相信外公从青年、中年直到老年，如此酷似他的母亲？儿子和妈妈像、和妈妈亲，这是人之常情。那么，外公和他的母亲又究竟像在何处，亲在何处呢？

· 我的曾外婆

文七妹，1867年生，湘潭韶山冲二十里外湘乡唐家坨文芝仪之女。13岁定婚，18岁成婚。婚后相夫教子，扶危济困，深得子女及乡邻爱戴。后因常年劳苦诱发疾病，1919年去世，时年52岁。生五子二女，两子两女早夭，三子分别为毛泽东、毛泽民、毛泽覃，另有继女毛泽建。

外公回忆自己敬爱的母亲时，说她“完全不识字”。而作为一位生于19世纪中国乡间的农村主妇，除了回20里外的婆家省亲，就再没去过更远的地方。直到年老病重，才平生第一次进了省会长沙。所以，要说她有多么聪颖的天资和出众的见识，恐怕都不能说明问题。那么，是什么造就了这样一位平凡而又不凡的母亲呢？那就是中国文化渊源深厚、兼容并包的力量吧。特别是作为母亲，她具有对儿子们，对家庭极其深厚的爱。正是这种爱，成就了我的外公，为我的外公性格的形成奠定了最重要的基础。这一点，我也是在留学之后才开始

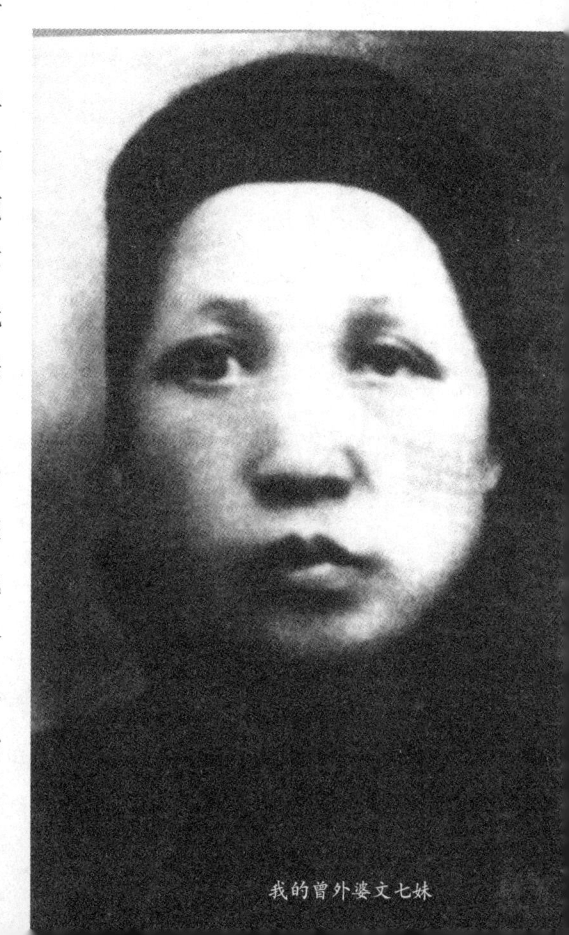

我的曾外婆文七妹

体会到的。

外公的卫士长李银桥曾这样回忆他们之间第一次聊天的情形：

毛：父母干什么呢？

李：我父亲种地拉脚，农闲时倒腾点粮食买卖。母亲操持家务，农忙时也下地干活。

毛：我们的家庭很相像么。你喜欢父亲还是喜欢母亲？

李：喜欢母亲。我父亲脑子好，多少账也算不糊涂。可是脾气大，爱喝酒。吃饭他单独吃，他吃馒头我们啃窝头，稍不对意就打人。我母亲心善，对人好，我喜欢母亲。

毛：越说越一致了么。你母亲一定信佛。

李：主席怎么知道？

毛：你说她心善么。出家人慈悲为怀。

李：您，您母亲也信佛吗？

毛：我也喜欢母亲。她也信佛，心地善良。小时候我还跟她一起去庙里烧过香。后来我不信了，你磕多少头人民还是受苦。

李：磕头不如造反。

毛：好，讲得好！

曾外婆信佛，而且非常虔诚。这可能与她连失两子，为了保住第三个孩子（即我外公）而许愿有关。其实，就算没有这个原因，以她善良温和的天性而言，也是很容易解释的。从怀上外公开始，毛文氏就吃上了观音斋，持续终生。母子连心，外公从小也信佛。十几岁时为了给母亲除病消灾，他曾徒步走到衡山（一说是磕长头，即一步一跪）进香。所以，他和母亲曾都为不信佛的父亲担心。

我查到观音斋是佛教三种斋期之一，每逢初一、十五必须吃斋。其实不管在发家前后，毛家都克勤克俭，全家很少吃肉，主要吃菜和白米饭。倒是雇工每月初一和十五能吃到鸡蛋和咸鱼片，外公30多年后对此还念念不忘。现在看来，母亲给予善良的本性，父亲给予刻苦的训练，这样的家教再加上英雄与时势的互动，难怪韶山冲的小山坳里会走出后来叱咤风云的毛氏三兄弟了。

曾外公是精打细算的农民，绝不同意曾外婆把辛辛苦苦挣来的钱、米轻易拿去施舍。但儿子们是母亲的支持者，用外公的话说：我们家分成两党，父亲是执政党，母亲和我们三个儿子是在野党。我们都是母党，跟母亲亲，跟父亲不亲。不过我认为：外公和曾外公之间，仍然有着复杂而深沉的亲情。只不过由于东方人父子关系特有的含蓄，不轻易外露罢了。

我的曾外公毛顺生

·我的曾外公

毛顺生，1870年生，谱名毛贻昌，是韶山毛氏“贻”字辈中最长者，人称“顺生大阿公”。与他终生未出韶山冲一步的祖父和父亲不同，读过两年私塾再加上精明能干，贫苦的毛家在他手中发家致富。在儿子的坚持和亲友的劝说下，他一直资助毛泽东求学上进。1920年五十岁时因伤寒病去世。有子女七人，长成者为毛泽东、毛泽民、毛泽覃。另外曾收养族弟之女菊妹子，即毛泽建。

大家可能都知道，我的外公小时候经常和曾外公发生冲突。至于原因，父亲的脾气暴躁，儿子的顽皮倔强；父亲对儿子劳动，生活，学业的严格要求；还有施舍与反施舍的义利之争，都是冲突的导火索。

外公在曾外婆的影响下，看不得穷人受苦，总要尽力救济。他在私塾的小同学黑皮伢子因家贫吃不起午饭，外公就把自己那份匀给他，最后甚至自己干脆不吃，回家再跑到厨房狼吞虎咽。曾外婆发觉后问明原因，此后就给外公带双份午饭去上学，两全其美。几年后，外公又一次把自己上学的口粮——两担白米送给因家贫而乞讨被丈夫责骂的同村大婶。曾外婆便又给儿子装上新米，叮咛他赶快挑走，别让父亲看见。

曾外公对儿子越来越强的逆反行为颇为头疼。外公快13岁时，一次父子在客人面前发生争执，父亲骂他懒而无用。外公当场离家而去，父母在后追赶。外公走到池塘边回头对父亲说：你再走近一点，我便跳下去！双方僵持不下——父亲要儿子赔礼并且磕头，儿子则坚持父亲首先答应不再打自己。这时，母亲急得按住儿子恳求：让你跪，你就跪吧。外公终于屈一膝下跪，同时声明：跪下的一条腿是为母亲的，不是为父亲的。本来是不想跪的，那站着的一条腿才代表自己。我想，从此他明白了造反——谈判——妥协三者的关系。

熟读经书的外公被责骂不孝时引用“父慈子孝”的古训：你慈我就孝。父亲呵斥他小小年纪就懒惰，他答道：你的年纪有我的两倍还多，当然应该做两倍还多的工作。等我将来到了你的年纪，肯定比现在你做得还多，等等……在这点上，母子虽有联合，也有分歧——曾外婆会劝外公说：即使你爹不慈，你也不应该不孝嘛。你去和他顶撞，做妈的心里不高兴，连佛爷菩萨也会不喜欢的。他的爆竹子脾气你是晓得的。其实，他常常当面骂你，背后又夸你……我的曾外婆就是这样一位调和家庭矛盾的“和平天使”（外公语）。

外公在家里组织了一条“联合战线”，最重要的盟友当然是曾外婆。此外，他还尽力工作，小心记账，让曾外公抓不到把柄。此后，父子冲突是少多了，但分歧仍然存在。我觉得，这还是两代人的人生目标不同所导致的。

曾外公读过两年私塾，知道文化的可贵。更重要的是：在一场柴山官司中，对方因引经据典而胜，自己因读书太少而败。所以，他准备把儿子培养成一个熟读经书的人才，让毛家不受欺负；一个农商兼通的帮手，将来继承父业。他已经计划好，将来把儿子送到湘潭城里一家与他有关系的米店当学徒。然而，一本名为《盛世危言》的书却改变了这一切。它使外公萌生了一定要去山外世界看看的念头。1910年，他要去邻县的湘乡东山小学读书，那是一所不教四书五经的新式学堂。

他当然知道父亲的态度，所以搬来了一切自己能搬来的，可以说服他的亲戚和师长。外公的表哥王季范说的“不读书就没有用”大概打动了曾外公的心思，他开始松动了。接下来，外公的八舅愿意负担学费，他的儿子愿意陪同外公上学。此时，曾外公开始用商人的现实思维正式考虑儿子的要求了，他说：泽东是湘潭人，到湘乡读书只怕有界线。

外公的老师一锤定音：现在中国人到外国留学的都很多，何况只到湘乡呢？这样，事情终于成了，外公又一次胜利了。出门那天，父亲、母亲和弟弟们一直目送他很远、很远。那年，外公16岁。这是他第一次出门到离家五十里以外的地方。

出门之前，外公悄悄留下了言志诗：

他改写了自己读到的一首著名日本汉诗（“男儿立志出乡关，不立功名死不还。埋骨何需桑梓地，人生是处有青山。”），把它夹在自己每日必记、父亲每日必看的账本中。曾外公果然看到了此诗，后来又向外公的表哥文运昌讲起过，这首“赠父诗”才为人所知。

后来，他又有了去省会长沙读书的机会，曾外公照例反对。但是，在外公的母亲、舅舅及表哥、老师等的大力支持下，曾外公终于同意资助儿子。外公得以最终完成学业，从而奠定了他成为20世纪最伟大人物的起点。5年后的1918年，外公从湖南第一师范毕业了。此时，他最敬爱的母亲已身染重病。

· 孝顺的外公

外公与舅书（引自《毛泽东致亲友书信》）：

家母久寓尊府，备蒙照拂，至深感激。病状现已有转机，喉哦十愈八九，疡（疬）子尚未见效，来源本甚深远，固非多日不能奏效也。甥在京中北京大学担任职员一席，闻家母病势危重，不得不赶回服侍，于阳[历]3月12日动身，14日到上海，因事勾留20天，4月6日由沪到省。亲侍汤药，未尝废离，足抒廑念。（1919年4月28日）

八七二位舅父大人座下 前在 府上拜別到省忽又
數日定於初七日開船赴京同行有十三人此行
專為遊歷出省目的非有他意也 家母在 府上久
住並承照料疾病感激不盡鄉中良醫少恐久
病難治前有程醫同下省之議今請人前去一
方如法診治俾可收功如尚不愈之時到秋收
之後擬由潤連護送來省 望
二位大人助其成行也 甥叩

外公与舅书

这两封信都是外公写给他的七舅和八舅的，手书的一封信写于1918年8月。原来，曾外婆生病时，曾外公忙于粮食生意，无暇照顾妻子，将她交由唐家坨娘家兄弟照看。手书的信倒数第二行的“润连”即我的泽民外公，字润莲。在曾外公的培养下，他已是家里务农理财的得力帮手了。

然而，操劳一生的母亲已经病入膏肓。春天留下那张合影，秋天就传来了噩耗。外公与泽覃外公连夜奔回韶山，见到的是灵柩，听到的是泽民外公转述的母亲临终前对儿子的呼唤。外公挥泪写下两幅灵联和一篇祭母文。这篇全长384字的四言诗，是外公已发表韵文作品中最长的一首。

灵联一

春风南岸留晖远

秋雨韶山洒泪多

灵联二

疾革尚呼儿，无限关怀，万端遗恨皆须补；

长生新学佛，不能住世，一掬慈容何处寻？

外公祭母文（抄件）

需要说明的是：这不是外公的手稿，那是要在曾外婆灵前焚化的；正文左侧下方有外公的表哥文运昌的注解：“民国八年八月十五日，他在灵位前执笔酌定，我代录正的。现在我家”。此件一直被他藏在墙中保存到建国初期并得以公开发表。

鸣呼吾母，遽然而死。寿五十三，生有七子。

七子余三，即东民覃。其他不育，二女二男。

育吾兄弟，艰辛备历。摧折作磨，因此遘疾。

中间万万，皆伤心史。不忍卒书，待徐温吐。

今则欲言，只有两端。一则盛德，一则恨偏。

吾母高风，首推博爱。远近亲疏，一皆覆载。

恺恻慈祥，感动庶汇。爱力所及，原本真诚。

不作诳言，不存欺心。整饬成性，一丝不诡。

手泽所经，皆有条理。头脑精密，劈理分情。

事无遗算，物无遁形。洁净之风，传遍戚里。

不染一尘，身心表里。五德荦荦，乃其大端。

合其人格，如在上焉。恨偏所在，三纲之末。

有志未伸，有求不获。精神痛苦，以此为卓。

天乎人欤，倾地一角。次则儿辈，育之成行。

如果未熟，介在青黄。病时揽手，酸心结肠。

但呼儿辈，各务为良。又次所怀，好亲至爱。

或属素恩，或多劳瘁。大小亲疏，均待报赉。

总兹所述，盛德所辉。必秉悃忱，则效不违。

致于所恨，必补遗缺。念兹在兹，此心不越。

养育深恩，春晖朝霭。报之何时，精禽大海。

呜呼吾母！母终未死。躯壳虽隳，灵则万古。

有生一日，皆报恩时。有生一日，皆伴亲时。

今也言长，时则苦短。惟挈大端，置其粗浅。

此时家奠，尽此一觞。后有言陈，与日俱长。

尚飨！

辞文真挚恳切，表达了外公对母亲无尽的爱。读到这动人的词句，我深切感到了他从母亲那里继承了伟大的情怀。不是每个母亲都能对儿子有如此大的影响，也只有极少数的儿子能写出这样动人的文字来感谢自己的母亲。外公成功的背后，确实有着曾外婆的影子。

我试着把祭母文按意思分成了五段，其中特别触动我的是第三段——“恨偏所在，三纲之末”，这应该指的就是“夫为妻纲”吧。现在不是说：“每一个成功男人的背后，都有一个做出奉献的女人”吗？那么，百余年前，湖南湘潭韶山一位成功的农民兼商人背后，不就是奉献了32年的毛文氏吗？何况，她还成功地培养出三个如此不凡的儿子。为此，她忍受了多少次“有志未伸，有求不获”，如果不是和她最贴心的大儿子写出这篇祭母文，又有几人想到这些呢？

曾外婆的死因是“瘰疬”。这两个古怪的字眼是什么意思？我查到：瘰疬即淋巴腺结核。古医书对此指出：“受病之源，虽不外痰湿风热气毒结聚所致，然未有不兼恚怒忿郁，谋虑不逐而成者也”……话说回来，“瘰”不就是“病字头”加“累”嘛！

还有这句：“次则儿辈，育之成行。如果未熟，介在青黄”。外公26岁那年母亲去世，还没娶妻生子；小叔外公才14岁，还是需要母亲呵护的时候，可谓幼年丧母，人生一大不幸。从此，外公铭记母亲的嘱托，担起长兄为父的责任，把两个弟弟带上革命道路，使之各自成为独当一面的杰出领导人。他可以告慰曾外婆了。

至于下句：“又次所怀，好亲至爱。或属素恩，或多劳瘁。大小亲疏，均待报赉”，我想知情人都明白，这简直就是外公后来几十年中仗义疏财、乐于助人的写照了。也许，这就是外公对自己母亲最好的纪念吧。

在外公自编的《新民学会会员通信集》中，有一封他给老同学的信这样写道（《毛泽东交往录》305页。人民出版社，1991年）：

> 惊悉兄的母亲病故！这是人生一个痛苦之关，像吾等长日在外未能略尽奉养之力的人，尤其发生“欲报之德，昊天罔极”之痛！这一点我和你的境遇，算是一个样的！（1920年）

也许为了抚慰老人晚年丧妻的痛苦，也许更是为了避免再遭“欲报之德，昊天罔极”之痛，把母亲安葬仅一个月后，外公就把父亲接

外公与曾外公父子合影

到长沙奉养了一段时间。泽覃外公当时在长沙上小学。于是留下了上面这张惟一的父子合影。

坐在外公旁边的是堂伯父毛福生，他是国子监监生，恐怕是韶山毛家族人中“学位”最高的。特别的是，他虽然不是外公的老师，但其弟、其子都教过外公私塾，而且可谓良师益友，二人都是外公念念不忘的乡亲父老。

这个时候的父子关系，恐怕是外公有生以来最好的。曾外公已经看出：虽然外公没听他的话，一步步从米店学徒做到老板，但现在总归成了有用之材。这些年对他学业的支持没有白费，作父亲的可以放心了。

就在这张合影照完不久，转过年的一月份，曾外公就因伤寒病去世了，时年五十岁。只有泽民外公为他送终。这次我回乡才听说，粗通文墨的曾外公生前自撰这样一副灵联（《毛泽东生活档案》上卷21页，中共党史出版社，1999年）：

决不料百年有一旬，哭慈母又哭严君，血泪虽枯恩莫报。

最难堪七朝连七夕，念长男更念季子，儿曹未集去何匆。

老人此时的心境让人一目了然，不由使我开始理解他了。

现在回头再看这两张珍贵的照片，我突然想到：为什么第二张照片没有泽民外公呢？一春一秋，只差了半年时间啊。也许，是因为曾外婆去世后，家里伙计一下少了照应，需要他去料理？或者，是因为发妻生下了孩子，当爸爸的赶去看望？可能都不是，也可能都是。不过我又有一个想法：恐怕还是母亲的号召力更大些吧？外公哥仨可都是“母党”啊！

今天仔细想来，曾外公对外公的成长也有非常重要的作用。是他在各方面的严格要求成就了儿子从小就熟悉中国农村，熟知农业劳动，深知中国农民。这一点使我外公在以农村革命为主要特点的中国革命斗争中得以运筹帷幄，百战百胜。

曾外公要求外公勤俭节约，艰苦的农村生活铸就了外公一生清廉简朴的生活信条。无论斗争岁月何等艰险，无论生活条件何等恶劣，外公从未被吓倒，而其革命乐观主义精神至今仍熠熠生辉。更重要的是：在父亲与长子之间的高压与反抗的较量中，外公从小形成了坚强的意志。这一点，在他半个多世纪的革命生涯中显得非常突出。

因此，我可以理解，虽然外公从小是对父亲的反对派，常常与父亲对立。但当他离家读书，特别是在长沙完成学业后，对父亲的态度发生了根本改变，并且开始非常用心照顾老人。也许那时外公已经认识到：父亲虽然暴躁，但还是出于爱儿心切，像人们常说的“恨铁不成钢”。可以说：外公的精神品格中，已经融入了曾外公的心血。

第三节 外公的弟妹们

在上一节外公《祭母文》中，有这样一句："七子余三，即东民覃。其他不育，二女二男"。原来，曾外婆一共生育过七个子女。前两个男婴都夭折了。于是，外公成了老大，后来还有了两个弟弟，即我的泽民外公和泽覃外公；还有两个女婴也夭折了。当时的家庭都讲究儿女双全，于是就有了我的泽建外姑婆——她其实是外公的远房堂妹，过继到了曾外公家。

他们弟妹三个，曾经是外公除父母之外最亲的人，是外公生活及情感世界的重要组成部分。

然而遗憾的是：不但我没有机会，就连妈妈以至舅舅们，不是与这三位长辈缘悭一面，就是印象模糊到无法辨认——因为他们牺牲得太早，在青年和中年时代就无怨无悔地为自己的信仰献出了生命。更遗憾的是，由于英年早逝和条件所限，他们留下的遗物资料少而又少。照片仅有可怜的一两帧，有的还不甚清晰，使后人凭吊时难免生出感慨。

其实，我面临的也不全是不利条件。我曾经朝夕相伴，侍奉左右的外婆贺子珍，和早逝的两位外公就颇为熟悉。他们是同时代的革命者，风格、人品都打着那个时代特有的烙印。更何况泽覃外公最后一位夫人就是外婆的妹妹——我的姨婆贺怡。她们两姐妹性格相似，是最谈得来的亲人。

另外，我还有幸见过泽民外公的第二位夫人钱希均外婆——她是外婆十年戎马生涯的战友，以及曾与他共度牢狱之苦并至今健在的第三位夫人朱旦华外婆（注：又作朱丹华。本书用法依其本人签名习惯），还有他的女儿远志堂姨，儿子远新堂舅。我尝试着把上述这些图像、回忆组织起来，在此献给在胜利前牺牲的祖辈和父辈们——我们并没有忘记他们。

·叔外公毛泽民

毛泽民，1896年生，字润莲或泳莲，外公的大弟弟。自幼在父亲严格教育下务农、经商，后受大哥影响走上革命道路。1922年入党后、一直从事经济、商业、金融方面领导工作，人称“红色财魁”。他参加了长征，后因统战需要派往新疆任财政厅长、民政厅长，1943年被军阀残杀，时年47岁。他的三任妻子是：王淑兰（生女毛远志）、钱希均和朱旦华（生子毛远新）。

泽民外公半身像

我的泽民外公和我家其他先辈一样，深受外公毛泽东的影响。1921年外公回韶山，全家开会，下了舍家干革命的决心。从此，全家人都走上了外公从事的革命道路。

叔外公毛泽民最大的才能和对革命的最大贡献，就是理财。这也是他从我的曾外公那里继承

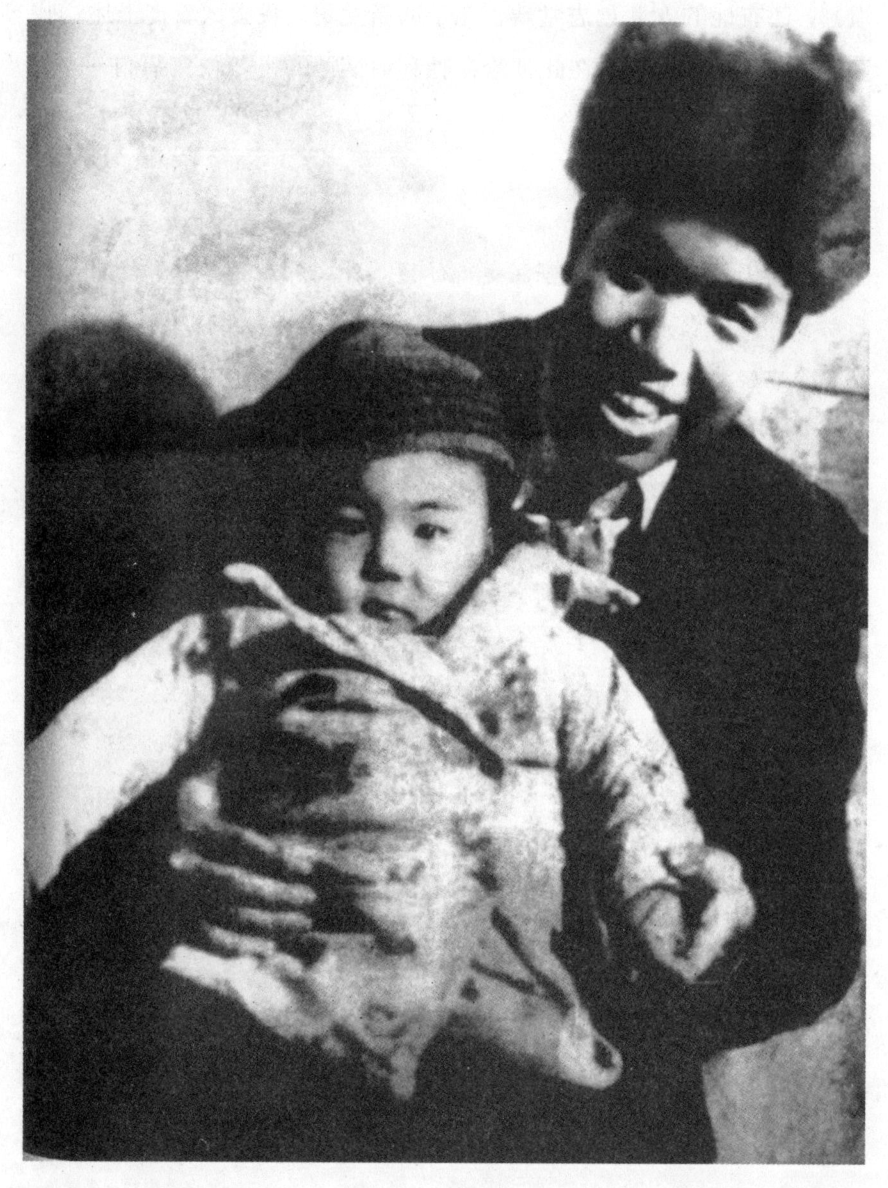

泽民外公父子合影

旦华外婆母子在新疆

的能力。与哥哥、弟弟、妹妹不同，他不是拿着枪、带着队伍暴动，而是拿着算盘、账本为革命赚钱！

他在上海、武汉、天津主持党的出版印刷机构，出版大量党的宣传品，像著名的《向导》和《共产主义ＡＢＣ》，就出自他的手下。

他在苏区担任过中华苏维埃共和国第一任国家银行行长，统一财政，统一货币，统一处理战利品；他组织到白区偷运盐巴的工作；他任钨矿公司总经理，发展生产，支持苏区斗争；长征中任十五大队队长，硬是把一百六十多担金银、钞票运到陕北。

在陕北，他任国民经济部长，组织边区的经济生产，供应党和人民军队，坚持革命斗争。最著名的故事是：他和妻兄钱之光等四位同志曾受党重托，行程数千里，化妆到上海接回国际友人捐献给中国共产党的大笔资金。他们把资金兑换成法币藏在皮箱夹层中，完全和传奇小说描写的一样，冒着生命危险安全地把资金运到延安。

在新疆，他是党派去做统战工作的高级干部，在政府中做财政和民政厅长，为新疆经济发展做了贡献。

旦华外婆母子与东梅合影。2003年，南昌

我的这位叔外公就是这样一位特殊战线上的革命者。

泽民外公牺牲后，外公把对弟弟的怀念转到了对他遗孀的抚慰和对侄女、侄子的关心爱护上，曾几次接见受他影响入党、一直看护韶山故居的弟妹王淑兰；在延安就开始帮助我的远志堂姨；建国后继续抚养我的远新堂舅，言传身教，亲若己子，20余年中极为信任。

据旦华外婆回忆，多年来亲属和好友们去看望外公时，都有一种不约而同的禁忌，就是从不提起泽民外公，以避免让他伤心。不过，千密一疏，在《红墙内外》一书中，外公专列上的女服务员就讲过这样一段故事：

卫士长说：“主席已经两天没睡觉了，光是在那儿看呀写呀，得想个办法”……桌上有本《人民画报》，一位卫士随手翻着，盯住一页不动了。轻轻咳一声：“嗯，我有个办法。这里有毛泽民烈士的照片，你就拿着画报，请主席跟你讲讲他的兄弟，这不就搭上了话，把他的注意力转开了吗？”……

我在杯里添一些水，见他仍不放笔，便从兜里抽出那卷《人民画报》，不等毛泽东反应过来，已经铺展到他面前，将那些文件遮掩到画报下。“主席，你看，毛泽民烈士。卫士长说是您的亲弟弟。是吗？”……

毛泽东带着深沉的回忆静坐片刻，肩膀一耸，做了个深呼吸。他显得很疲倦，竭力打起精神。勉强笑着说：“你看，长得像印度人。是吧？跟我不像，可我们是亲兄弟。他长得像爸爸，我长得像妈妈，就是这样。”

我听到一阵声响，肯定是卫士长他们进来了，便抓住时机说：“主席，给我讲讲毛泽民烈士的故事吧？”毛泽东做了个不情愿的姿势，刚要张口，我背后响起卫士长的声音……

故事到此结束了，亲如儿女的工作人员用计使外公得到了片刻的休息，泽民外公的故事也就没有顾得上讲。对我们后辈来说，未免有些遗憾。我只有通过对照片背后故事的追索，以求尽量读懂了外公那一代人，还要继续努力才行啊。

·叔外公毛泽覃

毛泽覃，1905年生，字润菊或润淋，外公的小弟弟。1918年随外公到省会长沙，受新思潮影响，从此跟随大哥投身革命。1923年入党，从事党务军务工作，有将才之称。红军长征时被留在江西中央苏区，负责领导敌后游击斗争。1935年在作战中牺牲，年仅30岁。他有过三位妻子：赵先桂、周文楠和贺怡，生有一子毛楚雄（谱名毛远大）。毛楚雄后参加革命，在中原突围后，奉命去国统区谈判时，途中被国民党杀害，年仅19岁。

我这位泽覃外公也是一位传奇的红军将领。可惜他几乎没有留下什么照片，但留下了许多故事。

朱毛会师这一历史事件是和我的泽覃外公分不开的。1928年朱

泽覃外公与岳母周陈轩、妻子周文楠

德、陈毅率领南昌起义部队一部，在赣南、粤北、湘南活动。泽覃外公是部队中的一位军官。当朱德知道毛泽东的秋收起义部队在井冈山坚持斗争的消息，立即派泽覃外公去联络。由此建立了两大主力红军的联系，并最终于该年5月在井冈山会师。朱、毛红军的称谓由此而来，这点星星之火最终成燎原之势。成为公认的中国革命胜利的一个里程碑。

在紧张艰苦的战斗岁月里，泽覃外公与外公曾发生过这样一段“共产党用的是党法还是家法”的小小“纠纷”。此事目击者就是我的外婆贺子珍。事情是这样的：他们二人因泽覃外公在工作中搞强迫命令起了争执。外公说不服弟弟，气头上随手抄起家伙追打起来。泽覃外公边绕着桌子跑，边大声说：“这里是共产党机关，还是毛家宗祠？共产党用的是党法还是家法？如果是党法，你这样就是错误的！如果是家法，你是我哥，在毛家宗祠是可以的……”

这下点醒了外公。此后，他多次在党的会议上讲过此事：“毛泽覃是我的弟弟，这个同志已经牺牲了。有次我在气头上要打他，他问我这里是不是毛家宗祠？共产党用的是党法还是家法？后来，他还到处讲我打他了……”言语之间，透着大哥说小弟那种特有的亲切，还有一丝难以言喻的伤感。

外公这话确实有根据。井冈山时期的老将军萧克就曾回忆道：毛泽覃同志有次到我这里来，说起毛泽东同志发脾气，要打他，他就边跑边问……他说的时候还做着手势，学当时的样子。和他同来的妻子贺怡同志在旁边，笑得合不拢嘴。

看到此处，可以想象泽覃外公和贺怡外婆的生活是很和谐的。然而，在残酷的战争年代，这种幸福的日子又是多么短暂啊。

他引人入胜的经历中，另一个亮点就是成为江西“罗明路线”代表人物。1933年初，中共“左倾”领导人以反“罗明路线”为名排斥我外公，他们认为在江西犯此类错误的就是邓（邓小平）、毛（毛泽覃）、谢（谢唯俊）、古（古柏）四人。外公当时对外婆姐妹说：“他们整你们，是因为我，你们是受了我的牵连啊！”

我外公提出了“枪杆子里面出政权”的论断，毛家有六位烈士（即“毛家六杰”）在斗争中流血牺牲，泽覃外公就牺牲在战场上。1935年，由于叛徒出卖，泽覃外公等被敌人包围。为掩护同志突围，他不幸中弹牺牲。敌人在他胸前搜出一张带血的照片和他的党证，才知道他是毛泽东的弟弟。原来，那张照片是朱德和毛泽东的合影，泽覃外公的鲜血浸透了朱毛红军的史册……

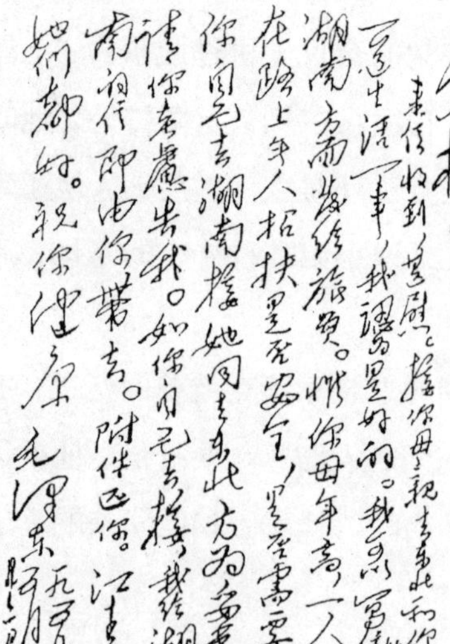

解放后，人们在他遇害地点搜寻遗骨未果，但却找到一枚中央革命军事委员会1933年颁发的红星奖章，证号第26号。这一切比我读过的任何名著更精彩，但这就是先辈们真实的生活。

文楠外婆是泽覃外公的第二位妻子，楚雄堂舅的母亲，与外公认识也较早。当她在延安再婚时，还特地征求过外公的意见。外公语气深沉地说：泽覃牺牲

外公致弟媳周文楠信

了，你再婚，我没有意见。只有一条，你们要记住——泽覃是为人民牺牲的，永远不要忘记他。这时，文楠外婆和丈夫郑重地点了点头。

文楠同志：来信收到，甚慰。接你母亲去东北和你一道生活，我认为是好的。我可以写信给湖南方面发给旅费。惟你母年高，一人在路上无人招扶是否安全？是否需要你去湖南接她同去东北方为妥当？请你考虑告我。如你自己去接，我给湖南的信即由你带去。附件还你，江青她们都好。祝你健康。

毛泽东

一九五〇年五月十二日

建国后，文楠外婆准备把母亲接去。收到上边这封信后，她去北京见到了外公。外公与这位先后失去丈夫和儿子的弟媳谈道：你告诉外婆，就说我说了，楚雄是个有志气的孩子，是韶山的人民的好儿子，送他到国外很远的地方学习了，也不能通信，免得老人家受刺激。时间长了，慢慢也就好了。楚雄年龄不大，为国捐躯，虽死犹荣。

襁褓中的楚雄堂舅与母亲和外婆

周文楠、毛楚雄母子合影

·堂舅毛楚雄

毛楚雄是泽覃外公和周文楠外婆的儿子，出生于风雷滚滚的1927年。应当是我的一位堂舅，属“远”字辈。以前对他知之甚少。近来研读我的外公的家庭照片，才了解到许多他的故事。

他是我家“远”字辈中惟一在故乡韶山生活过的一位，而且就住在上屋场——那是外公出生的老屋。他在韶山住了整整八年，是一个真正的韶山伢子。

另一点是，他是“远”字辈中第一个和妈妈一起坐牢的孩子。1928年，出生六个月的堂舅和他母亲周文楠被关入监狱。几个月后，随妈妈保外就医后出狱，但妈妈又被关了回去。这次经历，我的外公在和斯诺的谈话中也有提及。也许，他就是我们家族中年龄最小的坐牢者吧。

他是“远”字辈中第一个牺牲在战场的战士，成为“毛家六杰”之一，时年十九岁。1946年，在陕西宁陕县东江口镇，三名我军干部被国民党地方武装扣押并活埋，其中就有我的小堂舅——他为中国人民的和平与解放献出了年轻的生命。1984年，他们的遗骨才被发现。

我的这位小堂舅舅还有一个特点，他从小学习成绩非常优秀，写下了许多为同学、老师称道的作文。韶山还流传着县里专门考核他的故事——督学因不信传言，故当场命题，当场作文。堂舅当场一挥而就，督学读文后，感慨云：非凡之才。并给学校颁发了甲等教育奖。

这个故事很生动，我的外公当年就是这样天马行空的学生，后来成为一代大家。我也读过我的大舅毛岸英写的许多书信，感到是气势非凡。联想到我从小对文学的特殊爱好，看看堂舅的天分，也许其中是有一些联系吧。

·外姑婆毛泽建

毛泽建，又名毛达湘，乳名菊妹子，曾外公远房兄弟毛菊生之女，外公继妹。1905年生，中共早期党员。参加南岳暴动，任红军游击队队长，后负伤被俘。1929年遭杀害。夫陈芬，中共湖南早期党员，大革命失败后先于她被俘并遭杀害。生一子毛艰生，早夭。

我这位外姑婆留下照片极少，但作为一位斗争的女性，她格外引起我的注意。她是外公的远房堂妹，从小家贫。1911年，曾外婆夫妇把

毛泽建经毛泽东介绍就读女子职业学校时与毛泽覃等亲友合影

她收为继女。1919年曾外婆去世，年方十四岁的泽建外姑婆便被生母领回，为的是送到肖家做童养媳。

当童养媳，是那时多数贫家女无法逃避的命运。1921年外公回韶山了解到妹妹的处境，大为吃惊。他亲自办理退婚，遇到肖家反对时动员毛家族内老辈亲去洽谈。毛家主动退了赔礼金、误工钱，解除了这一封建包办婚姻。无独有偶，我的希均外婆也曾因家贫被卖作童养媳。她的“小丈夫”，后来成为我党早期革命家的张秋人也反对这种摧残妇女的不人道做法，他不但解除了这种夫妻关系，还指引她走上革命道路。和我外婆贺子珍一样，与泽民外公结合的钱希均也成为中央红军参加长征的“三十女杰”之一。

我外公是五四时代的青年革命家。那个时代的新精神让他懂得：妇女解放是整个人类解放的组成部分。过去说到妇女争取解放，多以为仅仅是文学人物，泽建外姑婆的故事是发生在我们家族中一个生动的例子。外公以一个提倡新思想、新道德，提倡妇女解放的改革实践者的姿态处理了此事。作为女性，我平添了一层对他的了解和尊重。

作为毛家成员之一员，泽建外姑婆同外公一样，有着湖南人坚韧顽强的性格。曾外婆去世前，败兵和土匪曾光顾过韶山冲上屋场。泽建外姑婆当时在家中值守，即使被打得鼻青脸肿，也决不回答强盗的问题。此后，解放了的泽建外姑婆积极地参加了外公发动的革命活动，先后入团、入党。在衡阳省立第三女子师范读书时，她以“钝钉子”的外号激励自己刻苦学习，成为学运女先锋。大革命时代，她成为农运女领袖。1927年湘南暴动时期，她成为英勇的女游击队长。

1928年，泽建外姑婆在斗争中被捕，敌人给她定了三大罪状：共产党总头子毛泽东之妹、衡阳共党首犯陈芬之妻、本人是顽固的共党分子，因此将她杀害。我注意到一个细节是，死前，她对探监的陈芬之姐说："我可能活不多久了。我不怕死，共产党是杀不尽的。只可惜我不能看到润芝哥哥胜利的那一天。"同时，她拿出一封写给我外公的信，说："我死后，你将这封信交给我润芝哥。"可惜，这封信和她早夭的儿子一样，没有留存下来。就连她的墓也被荒草埋没，20世纪50年代才被发现。

我想，外公是泽建外姑婆从一个童养媳成长为革命时代风云女子的最重要的动力。她升华了，把自己的生命奉献给了争取社会进步的斗争。在她情感世界深处，是对我外公血浓于水的兄妹之情。

建国初，有人提议外公寻找并修复泽建外姑婆的墓，他答道：牺牲的烈士那么多，国家现在建设需要大量资金，哪有钱修啊？后来他在诗中写道："为有牺牲多壮志，敢教日月换新天。"他和弟弟、妹妹都属于那一代的理想主义者，为了理想可以不计生死，而真正的不朽只在人心。

泽覃外公牺牲后连骨骸和葬地都不知所踪，只留下一枚银质红星奖章。如今，在那里矗立起一座由他战友邓小平题字的高大铜像。每天落日时分，可见灿烂的晚霞把铜像照得通体金光。我想：泽覃外公短暂的30岁青春，以及他牺牲的哥哥、妹妹，正在以这种方式获得永生……

第四节：外公的原配罗氏

现在我们要谈到的，是外公家庭中最不为人知的一位成员——其不为人知的程度，到了似乎没有人知道她的名字，记得她的相貌，了解她的性情。然而，这又是一个不可以被历史忽略、被后人遗忘的成员，她，就是外公的原配罗氏。

众所周知，外公有杨开慧、贺子珍和江青三位妻子，但这并不是历史全貌。外公在延安接受采访时，也谈过此事。

在《韶山毛氏族谱·世系表》（竹溪支）齿录卷十五中，我在外公名下，查到了毛氏家族对他第一次婚姻的最权威记载："原配罗氏，清光绪十五年己丑九月二十六丑时生，宣统二年庚戌正月初二寅时殁，葬韶山南岸土地冲楠竹堕，酉山卯向。"

据此可知：罗氏生于1889年，卒于1910年。她的婆婆，我的曾外婆比丈夫大三岁，罗氏则比外公大四岁。妻大夫小，看来这至少在当时的韶山是普遍现象，泽民外公和泽覃外公的初次婚姻也莫不如此（一个比原配小近两个月，一个则小近二十天）。

可这样一来出了问题——美国记者斯诺为外公整理的自述是这么说的："我十四岁时，父母给我娶了一个二十岁的女子。可是我从来没有和她一起生活过，后来也没有。"但史料称：1908年，外公凭父母之命完婚时十五岁，罗氏十八岁，夫妻相处两年。即使考虑外公的生日小，或按乡下习惯称虚岁，两种说法也不相吻合。那么，到底是哪边出错了呢？

其实，这也好解释——曾外婆的名字"文其美"就是例证。《西行漫记》中毛泽东自述部分的创作，是在外公的湖南话——翻译的江浙话——斯诺的英语，再从英文到中文反复转换才最终定型的。除去漫谈特有的记忆失误可能，意思在不同媒介间传递的耗损也是出现错讹的合理解释。职业道德使斯诺为1938年中译本序言写道："这一本书绝对不能算作正式的或正统的文献。"这，才是对历史的负责，足以令我从后人的角度表示钦佩并取宽容的心态看待。

这桩婚事，据我看来起码有两个成因：一是，毛罗两家是世交，罗氏祖母毛氏是外公祖父的堂姊妹，而罗氏之父与我的曾外公有生意往来，两家关系更加密切。二是，毛家有子无女（夭折两个），罗家有女无子（夭折六个），何况曾外婆身体不好，家事又颇繁重，找合适的大儿媳帮忙已是当务之急。

而罗氏嫁到上屋场毛家之后的表现，且不提外公满意与否，至少公婆满意——据说她与婆婆和弟媳（泽民外公的发妻王淑兰）相处很好。是否可以这样推测：如果给她时间，过若干年，又是一个温良恭俭让的"文七妹"？不过，问题在于：外公是肯定不会作"毛顺生"的了。

1910年大年初二，罗氏因病去世——有人说是患了痢疾，在缺医少药的农村，已是足以夺命的恶疾。不知外公后来是否也有过"她要是现在就不会死"的念头？毕竟妻子才21岁。这年秋天，外公做出了离开韶山去湘乡读书的决定，从此开辟了真正属于他的人生新天地。

在此，我把回乡拍下的，楠竹坨曾外婆、外公合葬墓旁那个据说属于长媳的已平坟丘照片放在本节。翻过这薄薄的一页时，我在想：是的，外公曾有这样一位妻子，她是千千万默默无闻的旧式妇女中的

据族人称此即罗氏墓（东梅摄）

一位，没有名字，没有相片，没有婚姻自由……丈夫则在她故去后，用至死不渝的努力改变中国，同时改变这种状况。他成功了么？我想，大家心里是清楚的。

第五节　万里故乡

自从1927年离开故乡，外公始终没有忘记那块生他养他的热土。在《西行漫记》中，还留下了他不知从何得知的乡亲们保护韶山树木，等待他归来的消息。终于，建国之后，他可以完全自由地踏上回乡之路了。但这一天的真正到来，则是十年以后的事情。摄影师侯波全程跟随他拍下了这组照片。我也跟随外公的思绪，梳理一下那浓浓的乡愁和激动的心情……

步入父母卧室的外公，在双亲遗像前伫立良久，然后向众人介绍：这是我的父亲、母亲。我父亲得的伤寒病，我母亲颈上生了一个包，穿了一个眼。只因为是那个时候……如果在现在，他们都不会死的……当见到母子合影时，他兴奋地用韶山土语问：咯是从哪里拱出来的呀？这怕是我最早的相片了。你们看，现在还像不像？

这些照片，都是外公八舅之子——借他《盛世危言》、陪他去东山读书的表哥文运昌保存下来的。曾外公去世后，外公毁家革命，把东西都送了人，表哥惟独把那些书籍、文稿之类当时看起来并不重要的东西拿回家保存起来。可叹的是：他在1949年给外公写信时有这样一段话“你老表像都在一起，容貌威严，少时可畏。”——这里的老表，说的就是母子合影中的泽民外公。外公次年回信，“泽民、泽覃均已殉难，知注并闻。”，用极克制的语言痛苦地将噩耗告知仍不知情的表哥。

在晒谷场上，外公说：母亲去世，灵柩就停放在这里。等我回来……当时外公神情凝重，仰头望天，是否又想到了有关曾外公的一

外公走在故乡田埂上

件往事？

一年秋收时节，家家户户在田里割禾，谁知天气突变，下起瓢泼大雨，男女老少纷纷跑到自家晒谷坪上抢收稻谷，曾外公更是急急招呼全家，却惟独不见外公。雨下得又大又急，有的稻谷顺着水沟流走了，手忙脚乱一番，终于把稻谷盖好。

外公雨停才回来，原来是帮邻居抢收去了。父亲气得扬手要打，他却站着不动说：人家是佃的田，要交租，冲去一点都了不得。我们是自己的田，又比别人多些，冲走一些也不太要紧。父亲更火了：不要紧？你吃饭不吃？外公笑着说：好喽，我一餐少吃一口，这总可以了吧。

在故乡的山水田地间，外公的思维极其活跃、放松。看到故居前的水塘，他一定想起了当年这段故事：

一年夏天，外公和同学逃课游泳，老师要罚他们，他却说“孔老夫子也是赞成到河里洗冷水澡的”，还拿出《论语·先进篇》“春服既成，冠者五六人，童子六七人，浴乎沂，风乎舞雩，咏而归。”那段来念。老师下不来台，向家长告状——“你家润芝了不得喽！他的才学比我高，我教不了啦！”

曾外公火了，抄起一根楠竹丫子跑到离家百步之外的私塾来打儿子。外公见了，扭头就跑。眼见父亲追不上自己直跺脚，回家肯定要挨一顿死打，母亲也劝不住的，于是就向城上的方向走去。他以为县城在某处一个山谷里面，但是转了三天也没走到，最后还是被砍柴老人送回家的。原来自己是绕来绕去地兜圈子而已，一共走的路程不过距家约八里。

回家之后，出乎外公意料之外，情形反而好了一点——父亲

外公清晨五点独自为父母扫墓，随行人员闻讯赶来

外公用松枝向双亲献上一份敬意

比较能体谅他了，而塾师也较以前来得温和。其实，父亲这几天一直在急得托人四处找他。出走反抗的结果给他的印象极深——这是第一次胜利的“罢工（罢课）”啊！

在荒草埋没的父母墓前，外公向父母墓深鞠一躬，口中念着：前人辛苦，后人幸福。随后又伫立良久，说道：下次再回来，还要看两位老人。

据卫士回忆，当天晚上，他住在松山一号楼，睡不着觉，口里念念有词。黎明时分，就有了下面这首诗：

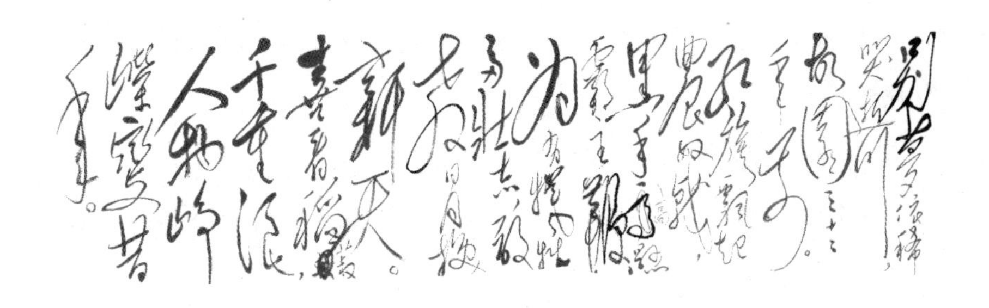

《七律·到韶山》（初稿）

别梦依稀哭逝川，故园三十二年前。

红旗飘起农奴戟，黑手高悬霸主鞭。

为有牺牲多壮志，敢教日月换新天。

喜看稻菽千重浪，人物峥嵘变昔年。

（注：正式发表时，“哭”改为“咒”，“飘”改为“卷”，“人物峥嵘变昔年”改为“遍地英雄下夕烟”。另外加了一段小引：“一九五九年六月二十五日到韶山。离别这个地方已有三十二年了”。）

故乡之行让外公意犹未尽，他用湖南乡音对陪同的湖南负责人说：咯个地方倒很安静。我退休后，在咯块子给我搭个茅棚子住，好吗？两年后，“茅棚”搭好了，就是现在的滴水洞别墅。1966年，外公果然又回来了，他后来把这里称为“西方山洞”。然而这次他并没能像第一次回乡那样，到自己故居、乡亲家里和父母墓前走走，看看。

于是，才有了《毛泽东的亲情、乡情和友情》所载他与五堂弟毛泽嵘老人1973年这段谈话：……

毛泽嵘：三哥，不是我作老弟的要讲你的闲话，你有件事做得不应该呀。

毛泽东：哦，什么事情呀？说说看。

毛泽嵘：有人说，你六六年也去了一次韶山，神秘兮兮的。不知你在那山洞里干什么？

毛泽东："有人说"，到底是什么样的人说的呢？

毛泽嵘：满妹子看到的。

毛泽东：只有满妹子一个人看见了吗？

毛泽嵘：还有一些老乡也看见了，说你坐在包包车里，人长得胖胖的……

后来，就是十年"文革"，再后来，就是外公重病。据说，他在病危中的最后岁月向组织请求回乡养老，而当中央最终批准时，已经是1976年9月8日。几个小时后的次日凌晨，外公也抱憾离开了人世。

在这次韶山行中，我站在滴水洞前，忽然想起了外公那首"赠父诗"，发现其中竟对自己的生平做出如此奇妙的预测，而他当时不过是16岁的少年。是的，他立了志向，学成功名，最终远远葬在异乡。只是最后一句似乎不确——外公长眠的纪念堂，是建在一马平川的天安门前啊。此时，我回首四周，只听峰峦无语，泉水低吟，山风阵阵，松涛隐隐……

外公在韶山水库。他曾指着故居前水塘说：我小时候是在这游泳的

孩儿立志出乡关，学不成名誓不还。

埋骨何需桑梓地，人生无处不青山。

也许，让外公归去的“青山”，不是那种“托体同山阿”的高峰，而是子孙后代的心碑吧。

第二章　开慧外婆一家人

第一节　我的开慧外婆

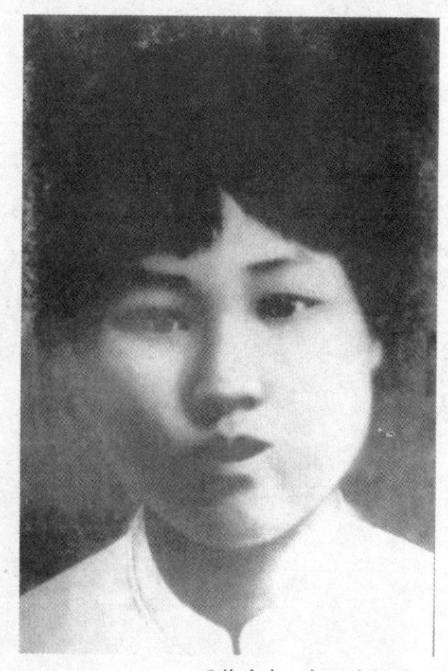
开慧外婆，永远的29岁

杨开慧，1901年生，名霞，字云锦。湖南长沙人，著名学者杨昌济教授独女。少女时代与毛泽东相识并相爱，1920年结婚。系中共最早女党员之一，1923年至1927年随夫在上海、湖南、广州、武汉等地工作。毛泽东发动秋收起义前与妻儿诀别，杨开慧则一直在长沙持家育儿。1930年她被捕后，多方营救无效，不久被杀害。生有三子：毛岸英、毛岸青、毛岸龙。

· 永远的29岁

我家有六位亲人为革命而献身，这是众所周知的。开慧外婆牺牲那年才29岁，其他五人牺牲时，岁数有比她大的，也有小的。他们的年龄都已永远被定格在匆匆离开人世的最后一刹那。光阴荏苒，前年就是开慧外婆一百周年诞辰。然而我心中的她，无论过多少年，都永远是29岁。为什么？因为：爱情。

不错，包括“毛家六杰”在内的千百万烈士，大都有自己的爱情生活。正因为他们抛小家而成大家，重爱情而舍爱情，方显其伟大。

襁褓中的岸青舅舅与开慧外婆和岸英舅舅

但杨开慧还不一样——她不但是为理想，也是为爱情而死的。不错，曾有多少革命伴侣步入刑场，却少有刽子手开出“与×××脱离夫妻关系即可免除一死”的条件，对毛泽东的妻子而言，夫妻关系成了一道生死关。

敌人的设想失败了：杨开慧之死，不为她是中共第二位女党员，不为她写了讽刺文《有感》，不为她拒不说出组织机密，只为她表示永远作毛泽东的妻子。亲人的营救也失败了：作为名人之女，作为本省才女，作为三个孩子的母亲，社会的强大声援本可使她不死。但也有胜利者，那就是：毛泽东的理想和杨开慧的爱情……

时光流转，如今毛泽东逝世后出生的那代人早已谈婚论嫁，爱情观念大变。每个时代都有各自的活法，几年的海外生涯更使我认识到兼容并包的内涵。不管别人对开慧外婆当年的选择如何评价，我每次去长沙，在她的故居、陵园和纪念馆，都能发现新的东西，想到新的东西——因为她有着永远29岁的青春。

这又是一张母子合影。它不但是岸英舅舅、岸青舅舅人生第一张照片，还在很长一段时间里成为惟一记录开慧外婆相貌的历史凭证。

它应该摄于1924年夏秋之间。那年开慧外婆与母亲向振熙老太太带着两岁和半岁的孩子到上海与外公会合，住在一栋两层石库门老房子里，位置是现在上海市中心，威海路和茂名路交界处。这里属于党中央“宿舍”。当时没有户口制度，但住房必须指定户主，毛泽东一家与蔡和森、向警予夫妇等对外称是一家人，向警予（时任国民党上海执行部青年妇女部部长助理，妇女运动委员会秘书）为户主。而到了冬天，外公就携妻儿回乡养病去了。

外公（第三排左二）与向警予（第一排右一）等
国民党上海执行部同仁在孙中山寓所合影

这里是五方杂处之地，年轻的中国共产党给自己的领袖及家属立下了严明的纪律：不许随便上街、会客、串门和照相，以免暴露。据回忆材料称：考虑到开慧母子初来上海，留个纪念也是人之常情，向警予行使了"户主"的权力，于是才有了这张照片。

蔡和森和向警予，对于毛泽东和杨开慧来说，不仅是兄长、大姐、挚友和同事，还是婚姻上的楷模。外公对"向蔡同盟"爱情关系表示特别的欣赏，而他自己，不也组建起毫不逊色的"毛杨同盟"吗？作为"五·四"胸怀天下那一代人中的佼佼者，他们的共同点就是以自己的方式追求实质上而非形式上的幸福，反潮流反传统，拒婚拒庆，就是说："不作俗人之举"。

如果说，生于韶山乡间，父母皆为村夫村妇的外公能够具有这种20世纪初的人类新思想，是他天资不凡并且好学深思的结果，那么开慧外婆之所以能与他志同道合，除了自身"开明聪慧"之外，与有一个可敬而可亲的父亲是分不开的。此次回乡，我见到了刚刚征集来的开慧外婆遗物，其精美和新颖程度一望可知是舶来品，一定是慈父从留学之地带给爱女的。而他赠给自己的爱徒和未来女婿的，则是进入北京大学图书馆的机会。外公在那里接触了众多顶级学者，并接受了马克思主义学说。

从这个起点出发，外公从一个热血青年一步步向职业革命家迈进。但从此，也就开始了他与开慧外婆聚少离多，以至最终一个青年别夫，一个中年丧妻的伤心史。而这，无论对娇弱的开慧，

开慧外婆之父、北京大学伦理学教授杨昌济

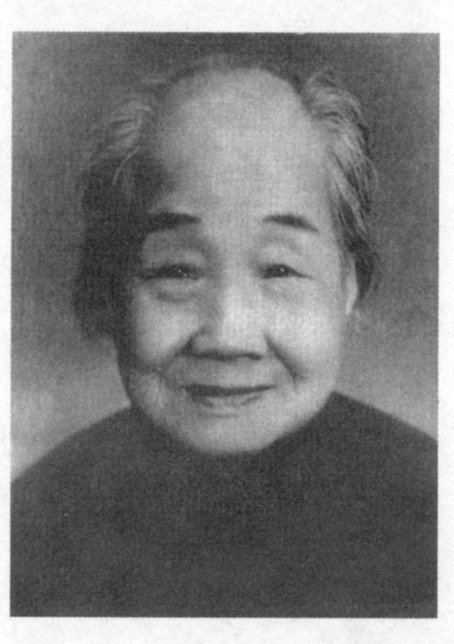

开慧外婆之母向振熙老夫人

还是敏感的外公来说，都是难以承受的。外公和开慧外婆有很多共同点，其一就是饱读诗书。他们互相可以诗词酬答，是真正的夫唱妇随。为说明这对夫妻的精神生活，先举两首外公当年的诗作：

虞美人·枕上

堆来枕上愁何状？江海翻波浪。
夜长天色怎难明，无奈披衣起坐薄寒中。
晓来百念皆灰烬，倦极身无凭。
一勾残月向西流，对此不抛眼泪也无由。

贺新郎·别友

挥手从兹去。更哪堪凄然相向，苦情重诉。
眼角眉梢都似恨，热泪欲零还住。
知误会前番书语。
过眼滔滔云共雾，算人间知己吾和汝。
重感慨，泪如雨。
今朝霜重东门路，照横塘半天残月，凄清如许。
汽笛一声肠已断，从此天涯孤旅。
凭割断愁丝恨缕。
我自欲为江海客,更不为昵昵儿女语。
山欲堕,云横翥。

这里，请注意他的诗风。尤其是第一首，若非有手迹为证，是否让人不敢相信其出自毛泽东之手？其实，外公早年诗作以情深多悲为

与妻儿团聚的外公时任中共中央局秘书、国民党上海执行部组织秘书

风格，祭母文就是例证，为同学悼亡诗更是如此。诗言志，言为心声，这两首咏情之词更让人一窥青年毛泽东的内心世界中的细腻、哀婉。

有材料说："知误会前番书语"指的是他为杨开慧写下的一首古诗"劝君莫依傍，依傍事不成……"。而我从离别外公三年中独力持家的事实来看，开慧外婆无依傍之心，有自强之志——他确实"误会"妻子了，但"东门路"、"我自欲为江海客"却不幸而言中。

西江月·秋收起义　1927年

军叫工农革命，旗号镰刀斧头。

匡庐一带不停留，要向潇湘直进。

地主重重压迫，农民个个同仇。

秋收时节暮云愁，霹雳一声暴动。

注：在另一版本中，"匡庐"作"修铜"，潇湘作"平浏"。

1927年，国共合作破裂，外公抛妻舍子。先是发动秋收起义，然后又上了井冈山。当年所作诗词说明外公已与从知识分子相结合走向了与工农相结合的道路。他就是这样一步步走向胜利的。

蝶恋花·从汀州向长沙

六月天兵征腐恶，万丈长缨要把鲲鹏缚。

赣水那边红一角，偏师借重黄公略。

百万工农齐踊跃，席卷江西直捣湘和鄂。

国际悲歌歌一曲，狂飙为我从天落。

这是1930年外公所做，词牌也是《蝶恋花》。其实此后，历史似乎又给了一个让他们夫妻团聚的机会：这年夏天，红军两度攻入长沙，当然时间也短，而开慧外婆一直住在城外不远的板仓杨家。据说，当地党组织劝她去找“毛委员”，开慧外婆的回答是：润芝没有让我走，我不能离开自己的岗位。

红军撤退后几个月，开慧外婆就被捕了，同时被捕的还有八岁的儿子毛岸英和家里帮忙带孩子的保姆。因为她是毛泽东的妻子。敌人说，如果她宣布脱离夫妻关系，就可以回家。但这个称号，是开慧用29年青春的追求和纯洁的理想煅造而成，和她早已连成一体，根本不

开慧之死，百身莫赎——哀痛的外公捐去三十大洋为她修墓立碑（东梅摄）

可能分割。

被不幸而言中的是："凄清如许"的1930年，开慧外婆在长沙浏阳门（即"东门"）外识字岭，也就是几个月前她的堂弟杨开明牺牲处就义，遗言是"我死后，不作俗人之举"。我的三个舅舅则开始了"天涯孤旅"。而他们的父亲，此时已走出井冈山，开创了赣南闽西苏区，继续做着"江海客"。

近年在开慧娘家向氏亲戚的回忆录《黄河青山》中，我得知——"1930年，毛泽东的妻子杨开慧被杀害，她是我三舅母的亲戚。通过三舅母我们了解了一些细节。法官判死刑时，会让犯人选择枪毙或砍头。杨开慧选择前者，因为她不想让头颅被挂在公共场合示众。刽子手并没有让她迅速死亡，她身负枪伤，倒在地上挣扎。后来处理遗体的人发现，她手指甲里全是泥土。"

"头颅"，"示众"，看到此处，我的心在颤抖——因为我知道其中的原由！因为这里有这样一段故事，涉及一个杨开慧与贺子珍都认识的人物。而这，又要从外公上井冈山之后开始说起——外公率领的秋收起义队伍在井冈山与朱德带领的南昌起义队伍会师。1928年底，外公与外婆贺子珍结合。在后来的一次战斗中，外婆的战友、朱德夫人伍若兰被俘，后被敌人杀害，悬首城门。这个消息被开慧外婆从报上得知，她联想到鲁迅对国民党残杀革命者并悬首示众的感慨，仿其笔触写下了《有感》一文，痛斥敌人的残暴，以手中笔声援丈夫的事业。这篇文章后来被制成传单，在长沙附近张贴，成为敌人逮捕开慧外婆的一条理由。这，就是我要说的一段历史往事。

想必开慧外婆坚信：他丈夫和朱德的事业必定成功，只是这一天让她在天之灵等了19年。当然，今天中国像我这样30岁左右的年轻人，或者忙于博士学位，或者忙于公司业务，或与亲友妻儿旅游于名山大川，聚会于酒家歌厅，购物于商场超市……我们真的难以理解，70多年前有那样一段血雨腥风的岁月。还是外公说得好：前人辛苦，后人幸福。

1957年，开慧外婆同学、闺中好友李淑一思念丈夫——外公的学生兼好友，柳直荀烈士，曾将自己所作《菩萨蛮》一首寄给外公，词曰：

兰闺索寞翻身早，夜来触动离愁了。底事太难堪？惊侬晓梦残。征人何处觅？六载无消息。醒忆别伊时，满衫清泪滋。

此时距外公与开慧外婆离别，已整整30年。他把胸中积蓄得太久的回忆喷薄而出，化作为无数有类似经历人的共同挽歌。那就是这首词：

蝶恋花·答李淑一

我失骄杨君失柳，杨柳轻飏直上重霄九。
问讯吴刚何所有，吴刚捧出桂花酒。
寂寞嫦娥舒广袖，万里长空且为忠魂舞。
忽报人间曾伏虎，泪飞顿作倾盆雨。

一九五七年五月十一日

曾经推荐杨昌济去北大，并营救过杨开慧的章士钊先生，与外公

坐落在湖南省长沙县开慧乡开慧村的杨开慧陵园（东梅摄）

有着50余年的友谊。当他询问从未见诸古语的“骄杨”一词作何解时，外公答道：女子革命而丧其元，焉得不骄？一切深情，尽在一字之中。

本以为一首“蝶恋花”已将毛杨经典的爱情故事划上句号，但进入20世纪80年代以来的一批发现，又让人从新的角度和高度来看待他们。那就是以壁中书为代表的一批开慧遗物。壁中书是开慧外婆被捕前，隐藏在板仓老屋墙砖中的文稿等文物，其中有许多开慧外婆记录自己心迹的诗稿。看到这些70多年前，一个带着三个孩子的年轻女子，躲藏在乡间，和丈夫及同志远隔天涯，心中充满怀念和盼望而留下的文稿，真有岁月沧桑之感……

善文能诗的开慧外婆怎能不将对丈夫的思念诉诸笔端？这份手稿写作时间约为1928年10月：

天阴起溯（朔）风，浓寒入肌骨。
念兹远行人，平波突起伏 。
足疾可否痊？寒衣是否备？
孤眠（谁）爱护，是否亦凄苦？
书信不可通，欲问无（人语）。
恨无双飞翮，飞去见兹人。
兹人不得见，（惆）怅无已时。

在长沙杨开慧纪念馆，望着那写在粗糙纸面上的娟秀手迹，作为贺子珍的外孙女，我一时不知说什么才好……

对了，“足疾可否痊？”，请您放心，外公的足疾已经在我外婆的照

20世纪90年代发现的开慧外婆像

80岁的外公会见新民学会老友，曾为杨开慧接生毛岸英的李振翩博士

料下好了。不但好了，他们两人后来还用双脚走过两万五千里，才最终达成了您和他、她的共同理想：一个为了再没有像外公和您这样妻离子散、家破人亡命运的国家就此诞生。

“兹人不得见，惘怅无已时”——我此时也有同感。能让我常看常新的开慧外婆，牺牲时比我现在年龄还小的开慧外婆。拥有令人羡慕的永远二十九岁青春的开慧外婆，我会常来看您的！

第二节　我的三位舅父

毛岸英，曾用名杨永福，俄文名谢廖沙。1922年生，是毛泽东和杨开慧的长子。八岁时随母入狱，陪她度过牺牲前的最后时光。被送到上海后曾与弟弟流浪街头，1935年我党将其送至苏联留学。1945年回国，给父亲以极大安慰，1950年，我国将支援朝鲜的决定刚一做出，他即报名请战，被称为“第一个志愿军战士”。在母亲牺牲20年忌日不久，因所在志愿军总部遭敌机轰炸牺牲，时年28岁。

·毛氏三兄弟

外公和开慧外婆有三个儿子：毛岸英、毛岸青、毛岸龙，他们与父辈毛泽东、毛泽民、毛泽覃一样，都是家里的“毛氏三兄弟”。

虽然与经历战火考验的外公那代三兄弟不同，我的这三位舅舅所经历的辛酸童年，一样让人难以想象。不过时代毕竟进步了，他们在八岁之前就有了这张合

毛氏三兄弟在幼稚园（原照为多人合影，现为岸龙、岸青与岸英）

影。尽管不久六岁的岸龙就因痢疾病逝，但比起后人欲寻泽民外公、泽覃外公影像而不可多得，已是不幸中的万幸了。

另外，好在岸青舅舅的独子，我的表哥毛新宇经过长期研究，已经写出专著——《我的伯父毛岸英》。这一来启发和鼓励了我对红色文化的研究兴趣，二来也减轻了我不能在书中展示岸英舅舅生平全貌的遗憾。新宇哥哥已经开了个好头，相信我们能像小时候牵手过马路一样，共同把年轻生命融入这一文化事业中去。

对全家团聚的日子，在岸英、岸青舅舅记忆中尤其少之又少。有一件事，是1925年在武昌都府堤住的时候，两兄弟在屋外玩耍（岸龙还没出生）。两岁的岸青拿着一小块玻璃向父母蹒跚而来，仅长一岁的岸英也不知其中利害。开慧外婆一看忙要夺下，外公却在一旁说：不要管他。妻子不解：会划破的呀！丈夫仍然慢条斯理地说：没关系。

这次夺过来，下次他还会拿。不夺过来，划破了手，他下次就不会拿了。果然，不久传来了岸青的哭声——手划破了。但是此后，他也确实知道该不该拿玻璃了。

这就是外公的教子法，让人不得不佩服其有效性。长期在他身边工作的王医生，还记下了外公与他共进午餐时，逗他年幼的女儿吃辣椒的事。外公向犹豫的小姑娘挤眼示意说：尝尝吧，可好吃哩。就一点点，怎么样？当她被辣得皱眉咋舌，差点哭出声来时，外公向王医生解释说：要让她知道，大人的话并不都是对的。不要一切都听，要有自己的主见……

外公这样做，恰恰说明他爱孩子，而且从哲人的角度出发，知道怎么爱才对孩子好。可以想象，如果不是夺去长子生命的那颗罪恶炸弹，他必定也会像同龄的慈祥老爷爷一样，过上儿女绕膝乃至子孙成行的正常快乐生活，向后人传授更多受用不尽的人生经验，这个家的一切会完全不一样。可是……

1930年失去母亲后，兄弟俩在大上海流浪过。1934年的一天，岸青舅舅在街头听到有人叫卖报纸，口口声声说的原来是泽覃外公牺牲的消息。震惊的舅舅悲痛之余，气愤地在墙上写下了抗议的字迹，被巡捕发现后毒打，头部受伤，从此留下了神经和精神的双重病根。这一年，他和远隔千里，互不认识的弟弟岸红一样，都因叔叔的牺牲而改变了人生轨迹。

弟弟的病逼得岸英舅舅比过去更加努力求生，以养活兄弟俩，这也使他从此对外人更加警惕。他经历接二连三的重大变故，件件都是同龄儿童难以承受的，但他不愧是毛泽东的儿子，以惊人的早熟咬牙

岸英、岸青舅舅在异国的家：莫尼诺国际儿童院

坚持生存下来。1937年，兄弟俩辗转万里到达苏联莫斯科，次年见到新来的贺妈妈。但他心中属于父母的那一块神圣角落始终封闭，既不提及父亲毛泽东，更不向精心照料他们，视若己出的贺子珍喊声“妈妈”。

最终，外婆最后一个孩子在苏联的出生改变了这一切。《我的伯父毛岸英》讲道：贺子珍征求岸英、岸青的意见：该给小弟弟起个什么名字？岸青抢着说：那就起个叫什么“斯基”吧，比如叫“霍夫斯基”。岸英当即反驳：你真逗，不是“司机”就是“伙夫”。凭小弟弟长得这么像爸爸，也要培养他将来带兵打坏蛋，当将军呀！……岸英酷似父亲能言善辩，岸青因受伤而常显尴尬羞涩，逗得我外婆哈哈大笑。

小弟弟的名字最后定了下来，叫廖瓦。而正是他仅有十个月的生命，唤起了岸英、岸青兄弟对英年牺牲的母亲、对幼年早逝的弟弟和离别十年的父亲的情感，积蓄了多年的这股洪流爆发后，冲开了封闭

舅舅们摄于苏联的这张照片让外公十年来第一次见到儿子的模样

的心灵闸门，他们向因失子而痛不欲生的贺妈妈伸开双臂，开始叫她“妈妈”了。也正是在此前后，舅舅们开始通过书本、谈话和思考，认识他们的父亲——毛泽东的伟大之处，他们长大了。

幸福总是聚少离多，日渐长大的岸英舅舅不久依依不舍离开贺妈妈，开始新的人生旅程。他成为苏联红军战士，随军打到德国本土，1945年才回到离别十年的祖国和思念17年的父亲身边。当时我外公由于重庆谈判前后过于劳累，精神紧张，回延安后一时失调，吃不下、睡不着，极为痛苦。此时，“天上掉下大儿子”的喜讯是最好一剂药方。父子在机场紧紧拥抱之前，他的病已经不治而愈。

为了欢迎儿子的到来，不善烹饪的外公下厨挥勺，给岸英舅舅端上辣辣的湖南菜，为的是让他想起在长沙妈妈身边的那些日子。随后他就开始把中国风俗礼节苦口婆心地教给久在外国，不通国情的儿子，还有就是广为人知的送儿子去“劳动大学”磨练的故事。到了父子又一张合影时，岸英舅舅早已脱去西装，手上也磨出老茧，更像父亲的儿子了。

此外，外公身边工作人员在1947年撤离延安时，给外公父子还拍过一张照片。他们回忆道：当时敌军已经逼近，而主席坚持要最后离开，还要亲眼看看敌人长的什么样子，谁劝也不走。此时彭老总冲进窑洞嚷道：老毛，龟儿子的兵有什么好看？我替你看了！你的命不是自己的，是共产党的。现在党决定你走，这是纪律！主席这才留恋地看了看自己生活多年的家，抚平桌上书籍的折痕，慢慢腾腾走出门

岸英舅舅等国际儿童院中国同学在外公像前

去。这时，他叫来也在院子里的长子毛岸英，让秘书给他们父子拍下一张合影。

故事让我领略了外公此时对留下自己13年岁月的第二故乡，对曾

父子重逢，喜悦溢于言表。

经娶妻生女的家庭和对长子的感情，从中还能看到老一代人独有的那股子精、气、神。它还让我不由想起舅舅牺牲时的情况，表哥书中写道：岸英牺牲那天，敌机先来侦察。工作人员赶快叫彭总去隐蔽，当时岸英已去办公室取文件。彭总不想走，刚被好说歹说带离房间，敌机第二次呼啸而来，岸英也再没能从房间走出来。毛泽东——毛岸英——彭德怀，他们的千古英雄气，永远值得后人记取。

岸英舅舅和继母江青也有几年的接触。对于这位只比自己小8岁的，丈夫最喜爱的长子，江青没有让他像家里别的子女按自己规定的那样，叫外公“老爸”，叫她“小妈”。

照片上的姑娘，是舅舅的夫人刘思齐。她在短短3年与舅舅的相识乃至结婚、生活的岁月里，留下了当时看来平常，现在却弥足珍贵的记忆。

她记得：在1949年底二人结婚后，到1950年舅舅参军这段时间，舅舅和她曾多次漫步在中南海墙外的古桥上（即现在的北海大桥，原桥已拆毁），看着桥边已矗立数百年的牌坊（原牌坊后已拆毁），在落

岸英舅舅夫妻与外公

毛岸英、刘思齐结婚照

日余晖中谈天说地。舅舅说："这些优美的古建筑，在国外是看不到的，是我们民族独有的宝贝啊。"

她还记得：两人在电影院里看《三毛流浪记》，舅舅感慨地说："太像了！我和岸青那些年，除了没给资本家当儿子，真是什么都干了。"有这种童年经历的他，格外珍惜今天的生活。然而在保家卫国问题上，他坚定地做出了选择。

出于保密，舅舅没有告诉舅妈自己的去向，一别经年，再也没了消息。已经知道儿子牺牲的外公在忧思成病的她面前，如坐针毡。他决定选择渐进的办法告知真相。比如，他在和儿媳谈话时，经常向这个方向引导：开慧不容易啊！一个人带着三个孩子在家里，没有我的消息。那个年代，不坚强的女子是做不到的呀！直到有一天，中南海摄影组长侯波奶奶笑眯眯地给了舅妈一张照片，上面的舅舅穿着朝鲜人民军服装——她当然还不知道真相，自己还以为在小两口之间带了信，做了好事呐。舅妈顿时明白了什么。

她再找到外公，一老一小先在中南海湖边散步，然后找到一棵古树，在树下坐定。外公开始谈起毛家历史，已经牺牲过五位亲人，他们和自己的关系，当年的故事，怎么牺牲的，家人得知后什么态度，等等……外公看着掩面而泣的儿媳，是否又想起了自己得知噩耗时脱口而出的古文："树犹如此，人何以堪？"

一位位亲人离他而去，只有眼前的古树历经无数代人仍然存在。后来，外公也离开了人世；再过若干年，你、我也将告别尘嚣，但是那棵树可能还是当年的样子。以前，从照片上面、书本当中和老人那里，我熟悉了舅舅和另外五位先辈。现在，我又在大树身上看到了他们，他们仍与我们同在。

第三节 岸青舅舅的80年

我的岸青舅舅，今年80岁了。

经历了1923年来这么多风雨的舅舅，能够跨过新世纪，真是一件应该祝贺的事。现在，他已是北京毛家辈分和年事最高的老人。作为外甥女，作为红色家族研究者，我希望老人能健康、愉快地生活！

岸青舅舅与我的外婆贺子珍曾经彼此关爱，在莫斯科相聚的日子

岸青舅舅一家及亲人在中南海丰泽园留影

恐怕是岸英舅舅前半生和外婆在苏联期间最开心的了。后来再加上我的妈妈，四岁的她一到异国，马上成为两个哥哥宠爱的对象，给了生下不久就孤身留在保育院的我妈妈从来未有的满足感。1947年，外婆带着妈妈和岸青舅舅一起回国，直到1949年她把两个孩子托人送到他们父亲身边，舅舅在外婆身边断断续续生活五六年。由于这期间得到的珍贵的母爱，岸青舅舅在20世纪50年代曾和妈妈说过：我觉得贺妈妈好！我想念贺妈妈！

岸青舅舅1947年在苏联上大学时

虽然外婆和岸青舅舅此后再没见面，我认为他们的心灵还是相通的。而后来无法把儿子留在身边的外公，也和后来托妈妈关照外婆一样，交给了她关照岸青舅舅的任务。几十年来，妈妈从未忘记父亲交给自己的这个职责，始终把岸青舅舅放在心上，哪怕自己也曾重病缠身。他们的兄妹情是让人感动的。

搬进中南海之后，岸青舅舅病情已比较严重，他向外公身边的王医生说，自己脑子里有两个小人在打架。直到有一天，病情发展到他拉着妈妈的手说：咱们跳中南海吧！十几岁的妈妈被弄得不知所措，幸好被卫士发现才拉开了他俩。

在外公、妈妈以至很多好心人的关爱下，岸青舅舅后来虽然搬出了中南海，但在大连休养的那段时间病情大有起色。他还做了很长一段俄语翻译工作（工作时的他思维清晰，根本不像病人），退休后始终过着平静的老年生活，而人们也并没有忘记外公这位惟一在世，同时又有着坎坷经历的儿子。

岸青舅舅的夫人邵华是岸英舅舅夫人刘思齐的同母异父妹妹。两兄弟娶两姐妹，和外公与泽覃外公和外婆与贺怡姨婆的关系一样，也是毛家一件趣事。舅妈多年照顾病中的舅舅，有“贤妻良母”之称。

1976年岸青舅舅全家在大会堂灵前

东梅与表哥毛新宇、表弟王效芝

舅妈是北大中文系的学生，常有机会和我的外公谈论文学，特别是中国古典诗词。外公和她谈过自己喜欢的诗人，如陆游、曹操、王勃等等，并手书陆游的“夜游宫”留给舅妈。这些年来，她写了许多文章以纪念我的外公和开慧外婆等亲人，有的曾经编进中学语文课本，成为范文。

现在，舅妈邵华，姨妈李讷和我妈妈李敏同为全国政协委员。

岸青舅舅的独子毛新宇比我大两岁。按照我在韶山看到的家谱，他本该是“祖恩贻泽远，世代永承昌”中的“世”字辈。但消除了中国家族制度的外公，已无需给自己的孙子取谱名了。新宇表哥的小名叫毛毛，这和他叔叔辈的毛岸红是一样的。

从《我的伯父毛岸英》一书提供的简历就可知道：他专攻历史，已写下不少论文专著，执导过几部电视长片，俨然一位青年学者。听说，新宇哥哥已经拿到了“毛泽东军事思想”专业的博士证书，这对正在研读博士的我，无疑是又一个颇感鼓舞的好消息。

·如果一切可以重来

外婆：

如果一切可以重来，

您会如何选择人生……

不会写下“从此诀别”？

不会拒绝外公一路的挽留？

不会学习治疗无望仍客居它乡？

不会回国后辞去战友安排的工作？

不会……

历史不会重来，但后人可以评说。终其一生，外婆还是当年那位质朴而英勇、如玉般纯洁的女战士。

兰可燔而不可灭其馨，命运让您不再是毛泽东之妻，但永远是江西莽莽大山里十九岁的“永新一枝花“。

第三章　外婆贺子珍一家

第一节　外婆贺子珍的前半生（上）：战地爱情

贺子珍，原名桂圆，又名自珍。生于1909年中秋，江西永新乡绅贺焕文长女。大革命前后入党并投身游击战争，是井冈山第一位女党员。1928年与毛泽东结合，共同度过共产党人最困难的十年岁月，是中央红军长征中“三十女杰”之一。1937年赴苏联疗伤、学习，1947年回国。1959年曾与分别22年的毛泽东会面。1984年在上海逝世。共生三子三女，除女儿李敏外均早夭或失散。

我的外婆贺子珍

这可能是我外婆第一张照片。那年她22岁，少女时“永新一枝花”的风采，应该还存有些许吧？这里先要从头发说起——外婆贺子珍曾是家乡江西永新县第一任妇女部长、团县委副书记，当时她不过才16岁。当了这两个“官”，外婆觉得从小留起来的又粗又长，又黑又亮的辫子有些与形象不符，一狠心剪掉，变成干净利落的男式西装头。她的工作是宣传鼓动群众，据说20世纪80年代永新城里的老人还记得一场由外婆组织并参加表演的“葡萄仙子”歌舞剧。原来，她曾经是相当活跃的文艺爱好者。

说到歌舞，又把我拉回与外婆在一起的日子。病情自顾不暇的外婆不会知道：身边的小东梅，也是一个爱唱爱跳的丫头。只不过，她因为寂寞、因为羞涩、因为胆小，在上海那座所有工作人员说话走路都静悄悄的洋房里，唱歌跳舞时都是一个人。轻轻的甚至默默的，心里数着节奏和旋律，假想着舞台和观众……

现在想来，我最成功的一次舞蹈经历是八岁那次：观众是外婆，地点是解放军总医院南楼高干病房——外婆来北京住院的地方。因为，那里有宽敞的客厅、柔软的地毯，最让我满意的，是有一幅横挂在房内，像模像样的大红幕布。一看到它，我就情不自禁地手舞足蹈

中央苏区六位女红军。1931年，江西瑞金
前排左起：彭儒、曾碧漪；后排左起：康克清、钱希均、周月林、贺子珍

起来，并把这次即兴表演献给了卧床的外婆。

此后，在成长的岁月中，我歌过、舞过、笑过、哭过。那个独自向隅，亦歌亦舞的小姑娘，似乎已尘封在记忆深处，定格在小小的黑白照片中了。只是到了30岁以后，往事反而清晰起来。经历这些年风雨，我从没像现在这样理解外婆、了解妈妈、化解自己。于是，一点点拾起记忆的碎片，拼凑成各种可能的形状，最终形成这本书。里面装的，其实就是我们祖孙几代人的一些思索。

至于刚才那张照片，我查到了这样的说法：苏区召开第一届工农代表大会时，几个平素要好的女红军看到请来的照相馆师傅，大家嚷嚷着要照。曾碧漪却不情愿，因为她已怀孕，挺个大肚子。彭儒出了个主意：没事，我陪你坐在前面，这样照了看不出来。照片上贺子珍

外公与斯诺。1939年，延安

外婆与外公（之一）。1936年，陕北保安

站在后排最右侧，齐耳的短发格外精神。毛泽东在旁开起玩笑：照得好，将来给你们放到博物馆里去哟！

外婆的五位战友：

彭儒（丈夫陈正人），外婆参加过她在井冈山简朴的婚礼，在东北期间曾照顾过她的孩子，外婆豪爽好客的天性决定了当时的热情程度甚至让我妈妈感到嫉妒。

曾碧漪（丈夫古柏），外婆的同事、外公的秘书，外婆广为人知的名字“贺子珍”即出自她的笔误。她们曾被敌机轰炸掀起的泥土没顶多时，险些成了烈士，可谓生死之交。

外婆贺子珍（左）与康克清奶奶。1936年，陕北保安

康克清（丈夫朱德），正如朱、毛之间不可分割的友谊，外婆与朱老总两位夫人——牺牲的伍若兰和江西老乡康克清都是好友。她到北京住院后，第一个来访的就是康奶奶。

钱希均（丈夫毛泽民），外婆的妯娌。在苏区她们携手解放童养媳，长征中在休养连相互扶持。外婆在贵州遭敌机轰炸，弹片入身几乎不治时，多亏她在旁照料才得以苏醒。

周月林（丈夫梁柏台），就是搂着外婆肩膀的那位。长征时被留在苏区，其后被冤屈关押多年，坎坷经历令我不忍重述。在六人中，她所承受的苦难是惟一可与外婆相比的。

外婆早年照片很少，妈妈和我一直都留心收集并将其放进本书。真感谢《西行漫记》作者——美国记者斯诺先生，他拍摄并翻拍了大量红军苏区时期和陕北时期照片，也保留了其中外婆的形象。更何况他还撰写了《毛泽东夫人贺子珍小传》，使外婆第一次在红区以外广为人知。然而出人意料的是，三年后当他再次见到外公时，毛夫人已是另外一位了。

外婆与外公（之二）。1936年，陕北保安

前面这幅照片，恐怕是外婆与外公照片中被引用最多的。究其原因，也许是外公没戴帽子（据斯诺说：他当时头发太长，而且也不愿戴帽子），蓬松向后的长发透露出隐藏不住的诗人气质。而外婆戴着帽子，则引出了又一个与女人头发有关的故事。

原来，之所以外婆在陕北的照片都无一例外戴着帽子，除了她以军人的标准要求自己之外，真正的原因是：长征的艰苦环境让女战士暂时别离了爱美的天性，让如影随形、挥之不去的虱子消失的最好办法就是剃光头，与外婆一起剃的还有张闻天之妻刘英奶奶。一直到她们俩为赴苏而结伴去西安、兰州时，那缕缕青丝才慢慢冒将出来。

我无法想象，照片中的外婆刚以伤病之躯走过万里长征。这使她与父母和儿子生离死别；十几年思念生死未卜的哥哥、妹妹；惨失弟弟（被自己同志所错杀）；痛别女儿（生下后却不能带走），除了这些人伦巨变，身上还多了十几块异物——经常阵阵作痛，刺激神经的弹片，又落下一身疾病：贫血、晕眩……即便如此，她仍在微笑。我想：除了长期征战后的短暂和平、充实的学习和工作以外，这是因为她有一个相伴走过人间绝境的丈夫。

外婆与外公（之三）。1936年，陕北保安

为掩护战友遭敌机轰炸，十几块弹片嵌入身体那次，无疑是外婆十年征战中最危险的时刻。当时她用微弱的声音告诉外公：

接受外国记者采访的外公毛泽东。1937 年，延安

毛澤東夫人賀子珍女士

在外表看起來，毛澤東夫人賀子珍女士簡直是一個弱不禁風的少婦。其實，她的性格是非常活潑的。很少有人看見她穿長衣服，十年來總是穿着那一套紅軍的制服，皮帶上掛着手鎗；她曾與中央政府的剿共軍隊對過陣，在前線上運傷兵。到後方去，調護病人，組織女軍，而且，在北上戰役中曾受過傷，甚至幾乎送了性命。

自與毛澤東同居以來，九年之中終日是奔走勞碌，七年之中生過五個孩子，但這些孩子全送給了人家，她自己一個也不要。

紅軍由江西總退却時，她隨軍同行，直到陝境，步行二萬五千里。她先後被炸傷廿幾處，到現在，身上還找得到纍纍的創痕。

她現在二十七歲，但反抗的火焰毫未消滅。在這八千英里的退却中，她受盡了人間的痛苦。受傷以後，先教人抬着走，以後換人背着，用騾馬馱着，到最後人和馬全沒有了，便只好步行。而同時，在長征途中又產生了一個小孩，她眞是受盡痛苦的人了。

在紅軍中大家都叫她「女司令」。本爲江西永新縣雲山人，是一個小地主的女兒，她父親也曾當過一任縣長。

她曾進過教會小學，她妹妹嫁給毛澤東的弟弟澤覃。澤覃爲國軍所殺，而她的妹妹也至今生死不明。

她由小學校出來後，就在本縣參加婦女運動，一九二七年加入共產黨。是年八月一日至廿日之南昌女共軍抵抗國軍一役，即由她領導。

她同毛澤東是在民國十七年結的婚。她在共軍中曾先後担任政治教授，看護，婦女組織的領袖；而在戰時，她又是軍人——總之，隨時隨地，她全有工作。

《毛泽东自传》附录：毛泽东夫人贺子珍小传

我不能工作，还让人抬着，心里很不安。润芝，把我留下，你们走吧。革命胜利后，我们再相见。外公一阵心酸，劝慰妻子说：我们决不会把你留下，抬也要抬到目的地。若不是他下了死命令把妻子抬走，外婆一定会因伤重牺牲在贵州。

被外公外婆忠贞战地爱情而感动，写到此处，我过了好一阵情绪才平静下来。是啊，还要继续前行，外婆后50年的传奇人生等待着我去追寻。

在美国记者斯诺眼中和他的《西行漫记》里，毛先生和毛夫人是颇和谐的一对。在他记录外公自述时，外婆被丈夫那些从未说过的内心独白而吸引，成了入迷的听众。她捉到一只油灯下的飞蛾，夫妻俩像儿童似的一边惊叹它的美丽，一边小心地把它夹在书中。斯诺还把外婆发展成牌友俱乐部中的一员，人们时常见到她和其他首长夫人出没于斯诺的窑洞中。

说来也怪，近年全国多处发现由《西行漫记》辑出的单行本《毛泽东自传》。它就像外婆一样，被遗忘多年后，逐渐显露出应有的价值。须知：这是截至外公去世，国内出版的惟一一本刊登夫妻照片的外公自传。

还好，外婆除了上述夫妻合影，还留下了这张集体合影。显而易见，她是所有人中惟一的女性。从井冈山烽火中走来的她，随丈夫丈量了中国十余省的土地。好不容易在陕北有了落脚的地方，为了治疗严重困扰她的伤痛，又马不停蹄赶奔万里之外的国度，从此结束了军人生涯，告别了照片中的同志和战友们。

“秋收暴动尚存之人一部分”。右一为外婆贺子珍，1936年，陕北保安

外公毛泽东在陕北延安机场

第二节　外婆贺子珍的前半生（下）：异国煎熬

红军十年纪念章

即使作为外孙女，我觉得也毋庸讳言：外婆十年苏联之旅，从头到尾由一连串的决策错误组成。时光荏苒，她身边那个胆小怕羞的小姑娘20多年后也踏出国门，经历了异乡生活。当然这不是说我就具备了足以评判外婆的经验。这里要写的，一是那些公认的和她自己也承认的错误，二是为什么出错。当然，只是最粗浅的分析。后人总是容易一边站在前人的肩膀上得以省力，一边又苛责前人长得不高，这是我尽量避免的倾向。

十年军旅生涯，给外婆“颁发”的不是纪念章，而是深埋体内的十余块弹片。这给她带来的痛苦，非我们这些毫无体验的后辈所能理解。她急需取出它们，同时还想治愈自己多年来积累下的其它伤痛，这是理所当然的。

众所周知：抗战初被友军误伤的林彪不就赴苏治疗多年吗？但子弹擦伤神经的后果一直没办法治疗，苏联专家下的猛药反而给他带来终身怕水、怕光、怕风的“毛病”，其实他确实一直是个没被治好的病人。另外，给妈妈起名的邓颖超不也以化名住进北平西山，治疗她在长征中发作的肺结核吗？外婆本来也是想在国内解决问题，她想的是当时医术最高明的上海。可惜又耽误了时机，准备出发时日本已发动侵华战争，上海首当其冲成为“八 · 一三”战场。邓奶奶也是在美国朋友斯诺的掩护下才惊险逃离北平敌特搜查的。

对这个理由，外公有自己的看法：延安现在穷，但会发展的，也会有自己的医生，条件会好起来的，何必非大老远去苏联呢？这也已被事实验证，如果外婆不走，肯定会得到来华并到过延安的名医——比如非常佩服外公的白求恩大夫精心的治疗。当然，外人可以说：弹片不在你身上，当然看法不一样。但外婆千辛万苦到苏联后的检查结论是：弹片已与肌体、神经组织结合在一起，无法取出。她不得不与

苏联伊万诺依国际儿童院。外婆完成莫斯科东方大学学业后来此工作

这些冤家继续共同生活。

外婆要去苏联学习，她要为自己争口气，这种自强自立的心态到今天也是弥足珍贵的。当时，对苏联崇拜以至迷信的，不止是外婆一个，而是她们及其上下几代人。“红都”莫斯科的诱惑，列宁、斯大林故乡的魅力，全世界共产党的家——共产国际所在地的权威，确实是那个时代所有共产党人无法抵御的。那种感觉，打个可能不准确的比方：就像今天穆斯林赴麦加朝圣。即使外公也不例外，苏联是他惟一去过的异国。而外婆能有赴苏留学的机会，我想她的任何战友都会羡慕不已的。

不过，外婆到了那里才发现：苏联固然有其先进发达乃至可爱之处，但各种与中国截然不同的风俗习惯，更不要说语言文字，自己学起来绝非一日之功，而且即使懂了也不免被歧视之嫌——这实际到今天也是全球的通病。要不，我怎么出国之后就更加爱国了呢？

外婆也对自己出国另外一个原因——夫妻矛盾做了认真的反思。她认识到自己不该伤丈夫的心，这是指“从此诀别”事件——外公和老战友曾志提过此事：她

坚决要走，我留不住，就派勤务兵去追她。勤务兵听我的安排，不让她走，她就写了“从此诀别”四个字让带给我。这件东西现在还放在我的公文箱里哩。

她认识到不该拒绝丈夫几乎是一路不停的挽留。延安、西安、新疆，只要是她经过又有共产党组织的地方，丈夫都派自己和妻子共同的熟人去反复做工作。比如在八路军办事处等去苏联火车那段时间，自己的老战友、好朋友彭儒夫妇在外公恳请下来做工作——他几乎已经动员过所有自己可能动员的人了。

看来，丈夫还是爱自己的，对急躁易怒的脾气也有自我批评，对妻子认识上的一些误区一直在耐心地说服。这对于遵义会议后逐渐成为全党领袖的外公来说，已是难能可贵的了。如果外婆当时能做一些换位思考，也许夫妻生活就完全是两种样子。不过，这些直至今天还只是为国人仅知皮毛的心理学术语，又怎能苛求几十年前战争环境下成长起来的先辈当时就心知肚明，并投入实践呢？

其实，在外婆到达苏联并且生下儿子后，就已经回心转意，只想学成归国，夫妻团聚了。外婆给外公写信报告了近况，还附上自己在兰州拍的一张照片，托回国的战友捎了过去。

1939年周恩来到苏联治疗臂伤，邓颖超陪同。外公托他给外婆带去一封信，开头写道：自珍同志，你的照片已经收到。我一切都好，勿念……以后我们就是同志了。他借此委婉地向外婆道别，外婆在此听到的外公再婚的消息得到了确证。而刚强的她又不愿让别人看出自己的痛苦，只有每晚把泪水咽到肚里。

外婆犯的最后一个错误，就是学习治疗无望后，仍然客居它乡。

周恩来、邓颖超来苏联后看望岸英、岸青兄弟

她的同学、好友就一针见血地当面指出：你不想回去，无非是怕丢面子。可现在你没回去，就没人说这说那了吗？中国那么大，解放区越来越多，陕北做不下去，可以去其它地方嘛。你是中国人，应该回到自己的国家。这里不是你的家乡，不是久留之地啊！

不久，与外婆一同赴苏的战友回国后，说出她在异国痛失幼子，终日以泪洗面的真相。外公大为震惊。痛心疾首之余，做出把妈妈送到苏联让她们母女团聚的决定，也许这是当时最好的选择。与女儿重逢使外婆喜不自胜，然而不久苏德战争爆发、物资骤然匮乏，病弱的娇娇险些丧生。更不幸的是：外婆莫名其妙地被儿童院派人抓走并关押了起来。有好几年，娇娇又成了孤儿。

妈妈现在还清楚记得：当外婆极力呼喊着女儿的名字，被几个彪形大汉强行架走时，才几岁的自己吓坏了！她跳出教室的窗户，一溜烟钻到自己认为最安全的一条暗沟里——那是她和一个最要好的苏联小姑娘玩游戏的地方，直到晚上才被那个小姑娘找到。当时，全儿童院的孩子都被发动起来寻找她。蔡畅奶奶的女儿，比娇娇大几岁的李特特为惊魂未定的她梳洗弄脏的头发。幸亏有这些好伙伴，妈妈才度过了在异国最难熬的日子。

在外婆饱受异国熬煎的同时，中国大地上的抗战烽火也整整燃烧了八个年头。她的父亲和母亲、外公与泽覃外公的岳父和岳母、我的曾外公和曾外婆贺焕文、温土秀也在此期间先后离别了人世。外公的战友项英料理了我曾外公的后事，曾外婆则在得到外公毛泽东多年奉养后逝世于延安。

1946年，曾在外婆初到苏联时给她多方关照的老战友王稼祥再次来到莫斯科上任，他查到了外婆的下落并将她解救出来。外婆向他坚决表示了回国的意愿。在多方努力下，外婆和妈妈这对母女终于告别了让他们喜少愁多的异国，走出了那段不堪回首的历史，新生活开始了。

第三节 外婆贺子珍失去的五个子女

·我那成为记忆的舅、姨

“毛泽东一家为中国革命献出了六位亲人”，这种说法大家想必都熟悉。但又究竟有多少人清楚：外公及他的两位夫人还因此失去过六个儿女呢？其中，除了岸龙舅舅是开慧外婆所生，其他三男二女都是我外婆的骨肉。我到现在还仍然认为：不了解这些，就不能叫真正了解我的外公和外婆。舅舅、阿姨，我想说：虽然你们已经成为记忆，但永远是我们家的成员。

·长女毛金花

1929年，外婆在福建长汀生下了自己的第一个孩子，也就是外公的第一个女儿。她被起名“金花”。一如妈妈的“娇娇”，这又是个“金贵”的名字。红军队伍又要开拔，这位姨妈没过半个月就被送给当地老乡抚养。一年后外婆再托泽民外公去找时，听到的消息是女婴死了。20岁初做母亲的外婆一阵心酸，但又有什么法子呢？她更不会料到：自己一共生下六个孩子，有四个都像他们的大姐这样一别不返，惟一幸免的就是我的妈妈。

但毛金花的故事并未从此结束，建国后几十年间也未间断，最后定型为龙岩一杨姓女子。一生豪侠的舅外公贺敏学认下了这个被他看准的外甥女，而1976年去世的外公和1984年去世的外婆都始终未与此人相见，此事因此也无法确认。

1931年苏区中央局成员合影：顾作霖、任弼时、朱德、邓发、项英、毛泽东、王稼祥

·长子毛岸红

1932年，外婆终于生下了一个健康的孩子，自己第一个儿子。

这个男婴有两个名字，小名小毛毛——外公说：人家叫我老毛，我的儿子叫小毛毛，比我多个毛，将来要比我强哦！大名毛岸红——与前边三个哥哥的排行相衔接，“红”字大概是取自红区、红军吧。只是不知外公是否还给他按远字辈起了谱名。不过，从以上名字已可看出父母是多么喜欢这身边第一个娃娃了。

养育小毛毛，是外婆戎马生涯中难得的幸福时光；失去小毛毛，是她自问前半辈子里仅次于出国的伤痛。当然，一家三口的日子也必然夹杂着婆婆妈妈、洗洗涮涮、缝缝补补的平凡琐碎，这些别说让身为统帅的外公头疼，与“武将军”外婆跃马持枪的形象也相去甚远。

无独有偶，他们的邻居——外公战友古柏及其妻子曾碧漪也遇到同样的家庭烦恼。而每当两家爸爸们指着妈妈们，批评她们天天把时间用去带娃娃，不积极上进时，妻子就会齐刷刷把孩子塞到丈夫怀中，让他们自己带带试试。毛泽东和古柏只好双双“缴械投降”，夫妻们这才言归于好。

可是，失散长女的阴影也在暗中笼罩着小毛毛。长征开始，数以万计的红军干部、家属被留在苏区，外婆也被迫与爱子分离。据《毛泽东之路》所述，当时情景是这样的：1934年重阳节，外婆在瑞金沙洲坝请父母做了团圆酒菜，但迟迟没人入席——

外公正染疟疾，在几十里外的于都独自苦痛；泽民外公和希均外婆匆匆赶来，告别后又匆匆离去——虽然外公当时正遭批判，而他的大弟弟掌握苏区财经大权，是须臾不可离的人才，因此可以参加长征

我的妈妈李敏在外婆贺子珍的故乡江西永新黄竹岭

（此时连外婆能否随军，都还没有定论）。

随后进屋的，是泽覃外公和贺怡姨婆。说起小毛毛，外婆坚持带儿子走，但经不住众人的劝解，只好答应把他托付给受父亲牵连，留在苏区指挥战斗的叔叔、婶婶。等到外公病愈赶回，不见儿子，只见眼泪汪汪的外婆。得知原委的他不禁大发雷霆：你也太狠心！等我回来，再看一眼抱走不行么？你们真蠢……

当年为外公站过岗，跟外婆学过文化的一名红小鬼，晚年在一次接受采访时，透露了许多从未讲过的往事，不久就去世了。他道出了外公失子后的情景：那夜，主席房里没有灯光。第二天清早，我看见桌上有两张毛边纸，湿湿的，像是泪水泡过。一张写满了“红”，一张写着：

英（狗）、青（猪）
龙（兔）、红（猴）

岸英、岸青、岸龙、岸红，外公有过四个儿子，却一个也不能留住他们，爱子岸红更是连照片都没有一幅，如今音讯全无，惟有默念生肖属相。锥心之痛，也许只有同样失去过儿子的父亲才能理解于万一吧。

直到20多年后，外公在老战友曾志面前谈起岸红，还这样说道：最后一次看见这孩子，都会在队伍里向我招手了。谁知道，以后就再也见不到了……此时，记忆中永远可爱的儿子让父亲哽咽失声，眼圈也红了，说得有同样失子经历的曾志奶奶百感交集，只有陪着落泪。

长征前夕外公与警卫员。1934年，江西瑞金

写到这段，我心情格外沉重。据自己猜想，外公之所以如此动情，固然是人到老年，格外珍视早已失落的儿子当年给自己带来的无限喜悦。但就小毛毛而言，离开父母时两岁的他已远远不止代表自己，而与叔叔泽覃、婶婶贺怡为他付出的生命代价永远连在了一起。

原来，泽覃外公为了保证小毛毛的安全，又把他托付给了贴身的一名警卫员，自己不久就在战斗中牺牲。由于谁也不知道这位警卫员的下落，线索从此中断。而贺怡姨婆为了自己的姐姐，更为了姐夫，在北平把我妈妈娇娇面交给外公后就急急奔赴江西，为的是尽快找到小毛毛。然而赶路时夜深路险发生车祸，她与被自己当成小毛毛找到的古柏之子古一明当场死亡，同车的曾碧漪受伤。外公后来对曾碧漪奶奶说：你办事一向小心的，怎么这次……痛惜之情，溢于言表。

有关毛岸红的故事仍在继续，寻访他的努力一直没有停止。50年代初，一个叫贺小青（亦称朱道来）的孩子似乎各方面都符合他的特征。但外公看了照片和材料后说：不像小毛毛，但总归是红军的后代，由党来抚养吧。60年代末，已在南京上大学的贺小青突然死亡，情况不详。

近20多年来，倒是没听说再寻访出的“小毛毛”。我却在报纸上发现了这样一件事，那便是斯诺在延安拍摄照片中著名的小红军主人公“山西娃娃”的回忆，当时十四岁的他在内务警卫连工作。文章写道：

贺怡、古一明及同车遇难的贺春明之墓

毛泽东、周恩来常常在院子里一边谈问题一边散步，有时碰到他，总是老远就招呼他，抚摸着他的小脑袋，亲切地问寒问暖，拉拉家常。有一次他到毛主席室内送文件，看到毛主席正在欣赏照片，就凑了过去，毛主席看到他好奇的神态问道："小鬼，送你一张怎样"？他如获至宝地接过毛主席亲笔签名的"全家福"，照片是毛泽东、贺子珍、毛岸英的合影。这张照片他一直珍藏在身边，转战南北都没有丢失，可惜在"文革"时被红卫兵抄家时弄丢了。

这里有一个明显不合理的地方，就是外公、外婆从没一起与岸英舅舅合过影（虽然我希望他们合过！），那么这三个人里必有两个是错的（我想外公他是认识的，不会错）。会不会是他把毛岸红记成了毛岸英呢？或者，就是把杨开慧当成了贺子珍？但是无论那种结果，

外公与战友任弼时、周恩来在陕北

这张照片对我们家都是极其珍贵的。但它和岸红舅舅一样失落了，一起汇入万千人海，成为无形的历史，从而载入记忆。

·江西夭折的男婴

1930年，在失去长女后，外婆又有了第二个孩子。这是个男孩，但生下来就死去了。接生者是红军中传奇的“基督医生”傅连璋。1929年，外公在打下福建长汀后吐血不止，也是他救活的。

·长征生下的女婴

1935年，红军二渡赤水河前后，外婆在行军途中又生下一个孩子。几十年来，这个孩子出生的地点和下落，曾一直是历史谜案。据党史工作者考证，可以得到如下结论：

据长征时担任干部休养连连长回忆：贺子珍生孩子是在遵义会议后到红军二占遵义期间，是过了赤水河，在“贵州白苗地区”。“那天下着小雨，天灰蒙蒙的，她喊肚子疼的时候，敌人正在后面追来，枪声很紧。”“眼看孩子要出世了，得赶紧找个地方呀！说起来也真够运气，路上两头都没有房子，惟独中间有一间孤零零的小草屋。我们赶紧把贺子珍抬进草屋，屋里没有人，吊着的铜壶还在冒热气。”

当时希均外婆在一旁做助手，她说：“后来邓颖超大姐告诉我，说贺子珍生的是一个女孩。同时还有一位女红军生产，也是一个女孩，邓大姐给取了一个名字，叫‘双凤’。贺子珍生下孩子，只看了孩子一眼，便被担架抬着上路了。”

傅连璋则回忆：一天下午，休养连的队伍来到贵州白苗族的一个村庄，准备翻过一座叫白山的山峰，怀着孕上路的贺子珍肚子阵阵作痛，她预感到就要分娩了。休养连连长回忆：孩子洗干净后，我们用白布将孩子包好。我同董老商量，董老写了张条子，我们放了三十块大洋，还有两碗鸦片烟土。两碗有多大？就是平时吃饭的粗碗，上下一扣，扣了两碗。烟土、条子一起放在孩子包里。董老写的条子大意是讲，现在我们要出发打王家烈去，为干人报仇。行军不能带孩子，这个刚生下来的孩子寄养在你家里，送给你做孙女吧，她长大了还能帮你干点活。

解放后，在四川省古蔺县的白沙镇一带，流传着张二婆曾收养过红军小女孩的故事。20世纪80年代，古蔺县党史工作者认真地调查了这一传说，认定确有此事。据调查考证，张二婆家住白沙河边长榜上，收养红军留下的女婴取名王秀珍。三个月后，孩子因长毒瘤医治不愈而亡。而这，就是我外婆贺子珍第四个孩子的故事。

·次子廖瓦

这是我一位没有中文名字，只有俄文名字的舅舅，他也是外婆的最后一个孩子。他是不幸的，1938年出生在远离父亲万里之外的莫斯科，十个月时就染上肺炎去世。这对连续失去五个孩子的外婆来说，其打击之大，是怎么估计也不过分的。

但是，他却用短短三百天的人生，给16岁和15岁的同父异母哥哥带来了极大的喜悦。我的岸英、岸青舅舅大概又想起了那在上海早夭的岸龙舅舅。他们看着这个襁褓之中颇似父亲毛泽东的小生命，是不是已经兴奋地想到了不久会出现新的“毛氏三兄弟”？

可幸福的时光总嫌太短，当外婆悲痛欲绝地告诉哥俩儿这个消息时，他们也禁不住泪如泉涌，同时抱着外婆劝道：贺妈妈，您别难过了，您要保重身体！小弟弟不在了，还有我们呐！我们也是您的儿子呀！贺妈妈，贺妈妈……

这时，本来还是痛哭失声的外婆突然一把搂住岸英、岸青："妈妈、妈妈"，"儿呀，儿呀"，三人哭作一团。几年来，这还是两个舅舅第一次向外婆喊出"妈妈"！这个词从他们失去开慧外婆后，已经快八年没说出口了，怎不让人激动万分！

外婆失去了亲生儿子，却同时得到了两个儿子。这是她十年来以博大胸怀对开慧外婆母子的回报，用母爱赢得了儿子的爱。而这，是我的廖瓦舅舅以自己小小的生命换来的。

第四节　外婆贺子珍的后半生（上）：人生悲喜

1947年，外婆终于回到阔别十年的祖国。她以很大热情投入工作中，并没有过多考虑与丈夫毛泽东复合这一复杂问题，这几年可称为她后半生的黄金时期。当时她38岁，正是年富力强之时。虽然异乡受到的折磨严重损害了她本不健康的身体，但她还是努力克服着病痛。至少从这张照片上看去，颇有当年女红军的丰采。

曾经在中国人看来已相当西化的莫斯科生活过的外婆，已不像延安时那样对交谊舞嗤之以鼻了。恰恰相反，她经常以娴熟舞姿出现在素有“东方莫斯科”之称的哈尔滨舞会上，赢得一片喝彩。一度苍白的面庞也透出了红晕，因瘦弱而纤细的腰肢穿上剪裁合体的服装，看上去远比实际年龄年轻。这样一位单身女士不可能不引起男同志注意，实际上，已经有人委婉地对她表示了好感。也许，外婆将从此走向新的人生之路？

心中终于开始有了对美好生活憧憬的外婆，此时首先想到的就是女儿娇娇。六年来两人相依为命，自己将做出的任何重大决定，都必须对女儿有好处而不是相反——这就是做母亲的心呀。于是，母女俩有过一次非正式的谈话，外婆的人生因此而改变。

只不过，改变她的以前都是强有力者，而这次则是11岁的女儿。那次，外婆故意轻描淡写地问妈妈：“娇娇，妈妈给你找个爸爸，好不好呀？”妈妈当时不加思考地喊道：“不要！”这一喊，击碎了外婆实际上很脆弱的梦。她绝望伏在桌上，嚎啕大哭起来。妈妈茫然不知所措了。

姐妹13年后重聚：贺子珍与贺怡，1947年，沈阳

永新三贺：贺敏学、贺子珍、贺怡

多少年后，妈妈在回忆录中追悔莫及。她剖析自己当时的心理：多年以来，娇娇没有父亲，两个哥哥一个长大成人，远走高飞；一个病痛折磨，自顾不暇；母亲就是她的一切，虽然她厉害，但是爱自己的。她不想失去母亲，甚至不让任何人分享母亲！ 而外婆对于外公，更是一日未曾忘怀，也永远不能忘怀的。

姨婆贺怡到来后，建议外婆与妈妈分别用中文和俄文给外公写了一封信。外婆的信内容大概是说：主席，我已经回到中国了。我身体不太好，正在休养，并参加一些工作。在苏联生活艰苦，比长征还要苦。最后她感谢外公对自己妹妹和母亲的照顾，将终生铭记在心。

母女的信发出后，外公回了电报，是答复妈妈的。此后，妈妈就在姨妈陪伴下去找自己的父亲去了，留下外婆一个人在家里，苦苦等待。后来，外公派警卫排长（就是那张著名的转战陕北照片里，在骑马的外公夫妇之间扛枪的战士）带妈妈去天津见了外婆一次——她当时在天津，这可能是1979年之前，不能进北京的她离丈夫所住的中南海最近的一个地方吧。女儿实在让她想坏了！警卫排长眼中的外婆，和他所见过其他老红军一样热情、朴实，后来接替他职务的，就是后来广为人知的卫士长李银桥。

1953年，外公与曾帮助过外婆的老战友陈毅、谭震林在一起

17年后又听丈夫的声音：外公在全国人大一届一次会议上

潜藏在外婆脑中的巨大压力，终于在回国七年后向她砸了下来。那是1954年在上海时，外婆偶然开收音机，听到外公以洪亮的声音宣读在全国人大一届一次会议开幕词。广播放了一遍又一遍，她就听了一遍又一遍。直到第二天外婆的嫂子李立英发现她僵坐在椅子上，神智不清。收音机开了一夜，已经烧坏了。

外婆这次病得不轻，得知消息的外公在妈妈面前第一次流下眼泪。他托女儿带去一封信，劝外婆要听医生的，看病吃药。和外公一样，外婆的烟也抽得很厉害。所以信中劝她不要抽那么多的烟，对身体不好。他还托妻兄贺敏学照顾外婆。外公的信就是最好的药，外婆知道丈夫的意思后，一一配合，逐渐好了起来。

之所以外公的录音能对外婆造成如此后果，正是因为外婆心中一直存储着与丈夫十年生活的全部记忆。这已成了她生活的驱动力，每时每分都在调取、比较、回味，以至到达极限，因突如其来的刺激而崩溃。

痴情如外婆，深情如外公——接近30岁时，我才开始逐渐明白：这是怎样一种惊心动魄的纯真感情！

上海湖南路262号，这里是外婆住过近30年的地方。这是一座建于1938年的三层法式别墅，营造者是与外公同为中共“一大”代表，但后来分道扬镳，身败名裂的周佛海。建国后，它的主人是上海市长陈毅。他在赴京上任之后，安排老战友贺子珍搬了进来。

此前，她一直借住在舅外公贺敏学家中，只有仅供容身的小小一

外婆贺子珍在上海湖南路262号

外公第一次登上闻名已久的庐山

间卧室。妈妈探亲时，发现这不利于外婆的休养。而外婆始终不开口麻烦组织，她觉得现在比起过去的艰苦岁月，已经很好了。在庐山，外公向江西同志问起外婆的生活。得知她在此享受副省级待遇时，满意地点点头说："可以了。"

1959年，告别自己的家乡湖南韶山，外公登上江西庐山。江西是外婆的家乡，也是他们共同生活、战斗多年的地方。在这里，他与外婆老友曾志谈话后受到启发，决定和已经分别22年的妻子见上一面。当时中央正在庐山开会，认识外婆的熟人甚多，为防不必要的麻烦，会面是极其秘密的。因此，现在看来，每个当事人的回忆都弥足珍贵。

现在看来，庐山会面的最大收获，就是外婆当晚敞开心扉，向陪同自己的水静整整一夜的谈话，披露了许多人们前所未闻的真相。这种机会，也许直到20年后《贺子珍的路》作者王行娟采访她时才重现。但那时外婆已经多病缠身，医院为她健康起见严格限制谈话时间，远未达到1959年那样直抒胸臆的程度，这对后人真是永久的遗憾！

穿着江西人喜爱的白布衫：外婆在庐山

在那次谈话中，

水静看到回忆美好往事的外婆眼里闪耀着灼灼光华，仿佛又回到了那“永新一枝花”、“井冈杜鹃红”的青春年代。外婆还告诉她：在瑞金时，外公受排挤“靠边站”，外婆又闹过一场大病。外公殷勤照料妻子，大事小事什么话都跟她说，两人感情更加深厚。她还得知：如果加上小产，外婆共为外公10年先后生过10个孩子。她事后感慨道：这是一位多么伟大的妻子和母亲呀！是的，我想这已能充分证明外婆对外公的无私之爱。

由于这次会面，外婆对庐山格外眷恋。其后1962年、1965年和1975年之夏，她都曾上山休养。另外，她已遵外公嘱托戒掉的烟后来又抽了起来。原来，外公收到一条外国名牌香烟，就打开一包并抽了

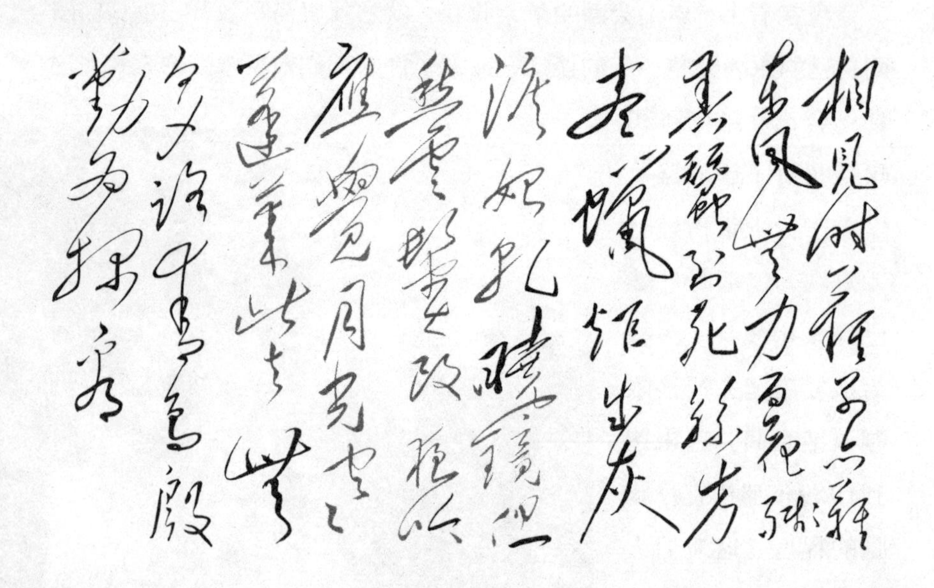

外公手迹：李商隐《无题》

一半。此时他忽然想起外婆爱抽烟，就把未开封的九包和已抽过的半包一起包好，派人送给外婆。这样一来，外婆便重新拾起了烟，其中她长期抽过的一种中档经济烟就名为“庐山”牌。

相见时难别亦难，东风无力百花残。
春蚕到死丝方尽，蜡炬成灰泪始干。
晓镜但愁云鬓改，夜吟应觉月光寒。
蓬莱此去无多路，青鸟殷勤为探看。

这是我在外公手书古诗词中找到的。我想，是否可以用它反映两位老人互相思念的感情生活呢？外公喜欢“三李”，这首《无题》又以晦涩闻名，想穿凿附会总有理由，但没必要。只感觉末句“青鸟殷勤为探看”实在传神。“殷勤”“探看”的“青鸟”，说的不是我那从小就在父母之间当“大使”的妈妈嘛！

第五节　外婆贺子珍的后半生（下）：晚年岁月

外婆后半生的转折点，我认为就是哥哥宁宁的出生。你看她开心的笑容，在所有照片中实在太罕见了。我的哥哥孔继宁生于1962年，是毛家第三代中惟一见过外公的子孙——那时他还是个婴孩。

1974年在苏州

这里，还要讲最后一个与头发有关的故事。妈妈尽心尽力担当着替外公照顾外婆的责任，照片上外婆的发型就是妈妈设计的。直到60年代中期，外婆都是把留长的头发梳成两条小辫子并盘在脑后，而这样不便于梳洗。妈妈就把外婆的辫子打开，把头发剪断，从中间对分，人显得精

外婆在青岛休养

外婆有了自己的外孙——我的哥哥

外婆和我爸爸、妈妈在苏州

外婆与东梅

神多了。直到去世，外婆都保持这个发型。

1972年，我出生了，而且也赶上了让外公起名。妈妈把我的照片带去给他看的时候，外公把自己名字里的一个“东”，还有自己喜欢的“梅”都给了我。怎么样，够大方的吧？

我是在上海出生的，两岁到六岁之间都在外婆身边度过，可以说继续代妈妈尽孝吧——父母当时都是军人，那些年运动不断，他们格外忙碌。由于当时年纪小，外婆给我的印象并没有后来深。说来也怪，以往听外公的录音，和外公会面都能引起她病情的重大反复。而当1976年外公去世时，全国人民泪落如雨时，她却表现出惊人的平静。

妈妈、外婆和东梅

外婆和我妈妈在一起

现在回想起来，这是一次不亚于前两次的危机。只不过由于压抑较深，当时没有爆发，而分几年逐渐释放出来。只要外婆一发病，楼里马上就如无人居住般安静。她那对外公已成永诀的思念，对往昔岁月的痛惜，一丝一缕地慢慢侵蚀着日渐衰老的身心。终于在那个我永远不能忘记的1977年初秋之夜，她坚持睡在我房间的小套间书房里，躺在拼起的椅子上，窗户只开了一条小缝。在冷风侵袭下，第二天我

奶奶、姑姑、爷爷、表弟、东梅、妈妈、哥哥、爸爸在外公灵堂前

外婆、东梅在华东医院

发现外婆已不能起床，她中风了。

然而，外婆病得真不是时候。当时国家的形势已走向拨乱反正，1979年她被选为全国政协委员，贺子珍“解放”了！《人民日报》为此配发了这张我和外婆在医院花园看《解放军画报》的合影。那一年，她七十岁，我七岁。

1978年，已到入学年龄的我，告别外婆，来到父母身边。次年外婆终于获准进京，当时正逢建国30周年。从1949年坐火车去北平在山海关遇阻，到现在中央派专机去上海接她来首都，为了这一天，她足足等了30年。现在，她可以来了，可是……

北京对她而言，一来意味着丈夫，可他已在三年前离开了人世。而只要他活着，自己就不能去。这个悖论使两位老人一直痛苦着。二来意味着国家，就像当初她不顾一切前往的红都莫斯科，是心中的圣地，理想的家园。但她来北京后惟一的外出，都没超过天安门广场和左右公园的范围。

此时的外婆身体已经很差，中风和糖尿病已足以让她离不开医院。因此为了健康起见，她一定要去的瞻仰纪念堂时间被一缩再缩，规定则一严再严。在纪念堂，曾经和被纪念者有过十年婚姻、六个儿女的外婆，把眼泪和呜咽一并吞下肚里。

贺子珍、李敏、孔令华在毛主席纪念堂前

外公曾在一位他建国后很喜欢的卫士面前袒露心扉，痛苦地回忆起劝阻外婆出走未果的伤心史："唉，她那次就是要走，听不进我的话。我哭了，怎么劝怎么说也没有制止她……"1978年他受我妈妈委托去上海看外婆。外婆见到外公身边的人总是激动不已，这次她握着人家的手，口形费力地开合着。现在，他跟在外婆轮椅后面，随着满屋的人一同流泪。他理解了外婆。

妈妈和爸爸推着轮椅，让外婆坐到休息室的外公手书《七律·长征》前面。外婆抬眼望着丈夫那熟悉的龙飞凤舞草书，久久不语。在她身边是一圈空荡荡的椅子，一把、两把、三把……一共十几把。如果外婆因长征而失去的亲人都坐在这里，该多好啊！爸爸、妈妈、妹妹、妹夫、弟弟、儿子，都不在了，只剩下她一个。

果然，外婆被扶上了车。即将启动时，她向车窗外望了一眼。其实那双早已被泪水模糊的泪眼，什么都看不见的，就像刚才被匆匆推过遗体身旁时一样。外婆与外公，他们就这样永别了。20年前一小时，现在几分钟，而这次说不出话来的则是丈夫。而自己纵使想说，丈夫也已听不到了。这样子，与垂暮之年的外公何等相似。

5年后，当我们跑着推开急救室大门时，一切都已结束了。外婆去了。随后是火化。火焰熄灭后，几块沉甸甸的钢铁家伙终于在森森白骨中露出了面目。写到这儿，我现在真想喊一声：外婆，您当年不是要去上海取弹片吗？现在，伴随了您近50年的它们，终于在上海被取出来了。

外婆给我们留下的，除了她的冤家弹片，还有一本1951年发给她的革命残疾军人证，按照规定，她每年可以领取330元的残废金，但领取款项签名栏没有留下任何一处她的签名："贺自珍"。直到逝世时的1984年，如果不计算以后调整、提高的因素，外婆应当可以支取共计11，220元。这些留在外婆体内30年的弹片，正是一个女红军当年枪林弹雨艰险历程的无言证明。那薄薄的、发黄的1951年革命残废军人证书，写的是外婆永存人间的荣誉与清白！

1984年外婆逝世后，泽覃外公的战友邓小平做出这样的决定：贺子珍的骨灰放一室，我们都要送花圈。外婆从此回到了她的战友中间，她一直就是一名女战士、只不过失散40多年后，现在归队了。这里是外婆最后一个家，永远的家，谁也不能拆开的家。外婆，放心吧……

外婆骨灰安放仪式。1984年，北京。

第六节　我的妈妈李敏

· 我家“洋宝贝”

我家有个“洋宝贝”，就是我的妈妈。这个外号是外公起的，现在看来还很准确：她的中国话仍不太灵光，经常会求助俄语思维帮忙。作为主妇，她不大会做中国饭——开句玩笑：已经到了孔子“三月不知肉味”的境界；作为母亲，我小时候她有一段时间不在身边。后来很长时间整日大门不出、二门不迈，甚至需要女儿照顾。和当今这么多“望女成凤”，包揽孩子一切事务的妈妈相比，会不会有人认为我妈妈疏忽了呢？

她是外公和外婆的女儿，言行中继承的是老一辈人无形的精神遗产，不能用时下物化的标准来衡量。她还是当年那个“洋宝贝”：文雅、和气、朴实，有时竟认真到“不通世故”的程度。这恐怕是童年曾有国外生活经历者的共同现象，但不是大舅刚回国时不熟悉中国国情的那种“不通”，而恰恰是因为她作为老百姓中的一员，平淡度日，本分生活，与社会上一些不正常，不合理的怪事格格不入，才“不通”的。

如果借用留学镀金的比喻，很多人把金子（甚至是黄铜、颜料）镀在身上让人看， 而我家“洋宝贝”则把沉甸甸的金子铸就自己的心，不为人见，再用血肉之躯包裹着它，从甜美文静的少年，走过稳重端庄的青年、中年，直到步履蹒跚的老年——就这样，以不同的步履向内心指引的理想迈进，从不走回头路。

我爱我家的“洋宝贝”——我的妈妈，因为她曾给予我、哥哥、爸爸，还有外公、外婆及别人那么多的爱。与此相比，其它什么都不重要。有这样一位妈妈，我非常幸运。她的回忆录《我的父亲毛泽东》让在异国留学的我落泪，由此生出写作本书的计划。如果这本薄薄的小书能达到与妈妈的心灵，与所有关心她的人心灵沟通的目的，我将感到非常欣慰。

·出生

我的妈妈是外婆最后一个女儿，也是外公最大的一个女儿。她一出生就得到了“娇娇（又作姣姣）”这个极为女性化的名字。其来源，一是邓颖超的一句“真是个小娇娇啊！”，二是因此启发了外公引经据典，在汉赋中找到了古奥字源。于是这个名字就叫开了，前面则视情况加上“毛”或“贺”，一直到她有了正式名字“李敏”为止。

外公在陕北，1937年

说到这里，又想起外公的乳名“石三伢子”，不禁佩服民间的智慧：孩子的乳名还真得取得“贱”点、“硬”点，才能像外公那样顺顺利利地如愿长起来。而我可怜的妈妈，自从有了这个贵而软的名字后，竟然在很多年中“一天好日子没过”（我爸爸说的），与父母美好的期望正好相反。

· 出国

妈妈还真有过一段“盲流”的历史，距离也够远的：从延安到莫斯科，有我赴美留学路程的两个来回！而且当时她才四岁。当然这是我开玩笑的说法，朱敏大姐姐（说大只是和妈妈相比，那时也就十四岁）和另外两个哥哥带着娇娇，坐一架由苏联人驾驶的军用运输机到兰州，然后从那里坐火车长途跋涉去苏联。可我也没完全说错，因为就她自己而言，连生活自理能力都没有，更不知道自己去向何方，所为何事，怎能不符合一个“盲”字呢？

在苏联上学时的娇娇

妈妈出生以后，在延安保育院中过了四年类似孤儿的生活。想来也是：外公作为党的领袖，不可能像现在单亲家庭的父亲那样，既当爹又当妈。即使他有心，也没空。即使有空，也做不来。即使做得来，也影响他的形象。因此，妈妈可以说从小就熟悉了集体生活。换句话说，也就是没有家，没有父亲，尤其是没有母亲的生活。现在，她终于可以见到从小就不在身边的母亲了。但这对她，究竟意味着什么呢？

据同机赴苏者回忆，是康克清与江青送他们上的飞机。朱敏阿姨回忆：在飞机上娇娇还闹了一回肚子，又哭又叫，我们几个七手八脚，总算把她安抚下来。大家就这样坐着在这个古怪的“房间”里，任

蔡畅妈妈抱着的娇娇。延安，约1941年

凭它在云层中穿行着。在几个月的旅程中，娇娇和哥哥姐姐们熟悉起来。最终到达目的地后，她已舍不得离开我们了。

·回家（上）

就这样，幼小的妈妈第一次担当起“大使”的责任，不远万里“出访”外国，来到自己母亲身边。与保育院相比，这次无论如何，她总算有个家了。母亲就是家呀！当时朱敏阿姨看到她们母子团聚，外婆欣喜地张开手臂，大声叫着女儿的名字，两人紧紧抱在一起时，鼻子酸酸的——原来，她也想起了自己那让人一言难尽的母亲，而她们自幼分别后再未见过。真是“家家有本难念的经”……

莫斯科国际儿童院，应该说是妈妈从出生以来的第一个真正的

儿童院特别部同学合影。四排左一为娇娇

"家"。即使环境恶劣，娇娇还是顽强地成长起来，逐渐从小丫头向大姑娘转变。但她仍是个孩子，正是爱玩的年纪，经常和儿童院里各国的小哥哥、姐姐们在冰天雪地里玩到昏天黑地才回家，直到有一天收到外婆严令："放学就回家，不许在外面玩！"天真的妈妈无法理解这一点，又因为偷偷和小伙伴玩耍而被外婆狠狠教训了一顿。母亲这个概念，在她幼稚的思想中，除了"可敬"以外，第一次与"可畏"联系在了一起。

根据当时的规定，同学们都要剃成光头。好在妈妈当时年纪还小，不太在意。而在一张母女合影中，外婆和妈妈都留着短短的头发，以至曾让娇娇觉得：身边的人实在不太像自己第一次见到的那位长发飘飘的妈妈了。

而此时，外婆和妈妈的命运，正因国际大气候及中国小气候的急

剧变化而起着重大转折：她们终于可以回到自己真正的家——中国了。于是娇娇有了自己的第二个家——东北哈尔滨，时间是1947年到1949年。和她在一起的，还有岸青舅舅。而岸英舅舅早已在苏联参军，妈妈此后一直没见到他。

初回祖国的妈妈，已是十足的“洋宝贝”，汉语汉字基本不会，俄语倒是比较流利。在这里，她见到了许多叫不上名的叔叔、阿姨，比如在延安就抱过她的蔡畅阿姨，还有舅舅贺敏学、舅妈李立英一家人，而既是她婶娘又是姨妈的贺怡给她留下了最深印象。中国的称呼和关系真复杂，妈妈第一次感觉到这一点。

我的姨婆贺怡与外婆贺子珍性格非常相似，两姐妹最谈得来。比起对人宽，待己严，对女儿尤其严的外婆，妈妈觉得还是姨婆好。这时外婆和姨婆姐俩总在商量事情。终于妈妈明白了——这和自己印象极浅，多年未和她们母女两人相见的父亲有关。十二岁的妈妈在贺怡鼓动下，用自己惯长的俄文，写下了给外公的第一封信：毛主席：大家都说我是您的亲身女儿。但是，我在苏联没见过您，也不清楚这回事。到底您是不是我的亲爸爸，我是不是您的亲女儿？请敢快来信告诉我。娇娇。很快她收到这样一封电报：娇娇：

苏联伊万诺依国际儿童院——妈妈在异国的家

看到你的来信很高兴。你是我的亲生女儿，我是你的亲生父亲。你一定长高了吧？爸爸想念你，也很喜欢你，欢迎你来。希望你赶快回到爸爸身边来。毛泽东

·回家（中）

不久，妈妈和岸青舅舅就由姨婆带着，高高兴兴进北平去了，留下外婆一个人。现在，是女儿离开她，到新的家——爸爸的家去了。外婆重又回到了孤寂中，好在这里是自己的国家，每天还有工作，不然她会支持不住的。女儿还太小，不会明白为什么妈妈不能跟她一起

父女第一次合影。1949年，香山

父亲和娇娇看影集。1951年夏，香山

去见爸爸。“洋宝贝”能明白其中的曲折吗？

此前，妈妈都是通过照片和画像认识自己的父亲。现在，他就是站在自己面前的北平香山双清别墅的主人。外公与妈妈从1941年分

父亲和娇娇

别，岸青舅舅则自1927年后就再没见过父亲。天各一方的两代人，多年来都把对方的照片看了又看。1949年5月的这一天，外公毛泽东和自己从异国它乡归来的儿女总算团聚了。而妈妈也从此有了自己的第三个家。

应该说，妈妈与外公父女重逢的时间，安排得十分合适。一是，提前一点，刚刚结束转战陕北的父亲到达河北平山西柏坡，决战在即，十分繁忙。二是，推迟一点，父亲住进中南海，又将为开国大典和朝鲜战争而苦思。三是，继母江青和妹妹李讷此时正在苏联养病，岸英哥哥工作忙，老实的岸青哥哥更不会与自己争夺父亲的注意力。于是，父女间积蓄了八年，实际可以说是12年的思念，此时充分宣泄出来。外公乐滋滋地向自己的战友介绍说：我给你们带来一个“洋宝

父亲、徐肖冰、娇娇、李云鹭看影集
注：李云鹭系江青（原名李云鹤）同父异母的姐姐

贝”，就是这个时候的事。

徐肖冰、侯波夫妇当时是负责拍摄中央领导人生活和工作的摄影师，几乎天天在外公身边。侯波奶奶回忆说：在拍摄了主席看解放南京报纸后的一天下午，我们夫妇在香山双清别墅等待任务。主席正在看书，这时他的女儿娇娇跑过来，甜甜地喊着“爸爸”，扑向父亲。主席也慈爱地搂着女儿，当时的情景十分感人。受亲情感染的主席情绪格外好，他看了我们一下，说：我们照张相吧。我们赶快上前，留下了这张惟一的与主席合影。

妈妈珍藏的外公肖像照（作者侯波赠）

可以说：到北平的头四个月，是妈妈有生以来最兴奋、最愉快的记忆。一个长期在集体生活和单亲家庭长大的孤女，现在却有了属于自己一个人的父亲，而且得到了那么多的疼爱，真可以说是老天的补偿吧。

不过，中共中央机关一直住在香山别墅里，毕竟不是长久之计。据说外公对迁进中南海的方案曾断然否定：我不住皇帝住的地方。然而最后，毛泽东还是在党的会议上服从了以周恩来、朱德等为代表的多数意见。父辈的决定对于妈妈来说，意味着她又有了第四个家，那

侯波阿姨教娇娇照相。1949年，香

个红墙环绕，比香山神秘得多的地方。而不久，她的继母和妹妹也结束休养回国，直接住进了新家，时间是1949年9月。

在《井冈杜鹃红》中讲述了妈妈初见继母时的情景：江青刚到家，一见到娇娇，就主动上前搂抱她、亲吻她，满脸堆着笑意。那股亲热劲，比对亲生女儿还要亲（1941年之前，不知她是否去保育院这样看望过娇娇？当然，就是去了，幼小的妈妈也是全无记忆的）。以后，她常常在人前人后夸娇娇好，多么爱她，情同亲生，而且都不愿回到贺子珍那里去了，等等……

直到现在，我的“洋宝贝”妈妈还认为：江青在相貌、风度和才

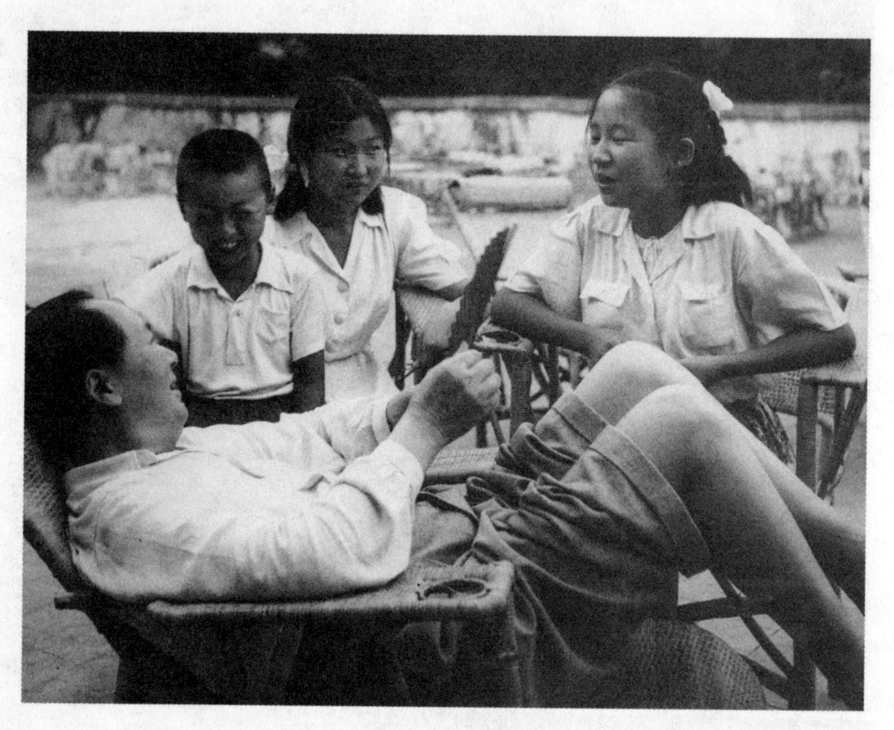

外公和我妈妈李敏、姨妈李讷及堂舅毛远新在香山

外公看我妈妈、姨妈和堂舅在中南海饲养的小兔子

华方面确有过人之处。妈妈还具体指出：江青最漂亮的是下巴，从下唇到下巴，中间有个较长过渡的小沟，然后下巴向外翘起。

书中继续写道：对于这位继母，娇娇的心情是复杂的。大约过了半年时间，外公有些着急。书中说，他曾一次又一次做不肯叫继母妈妈的娇娇的工作："你不肯叫她妈妈，她很难过的！"，"她不会对你不好的！"，直到最后的近乎恳求："你叫她一声妈妈，对你不会有什么损害嘛！"。

妈妈心软了。不能让爱自己的爸爸伤心，是她抱定的决心，所以，她开始叫江青"妈妈"了。而此时她和妹妹也有了父亲给起的学名：李敏和李讷。也就在这期间，中南海又添了不少娃娃们：妈妈除了姨妈这个妹妹，还有了一个哥哥——外公的侄子毛远新。另外，则还有周恩来的侄女周秉德等一批小伙伴。每日他们放学后呼朋引伴的嬉戏，让这座数百年皇家古园林也仿佛回到了童年。

· 回家（下）

外公与我妈妈、姨妈和堂舅在封冻的中南海湖面

外公与我妈妈、姨妈和思齐舅妈在玉泉山散步

在父亲身边的日子让妈妈有乐不思蜀之感，儿童欢快的天性使她一时忘却了在异乡牵肠挂肚的母亲。不过她曾在香山和姨妈贺怡提过：妈妈不是说过几天就来吗，怎么现在还不来呢？“洋宝贝”的天真让姨妈不知如何回答是好。而继母的出现却最终促使她对自己的生母有了更深的认识。她于是在父亲的委派下，又当起了家庭的“特命全权大使”，一次又一次踏上探母的旅程。

妈妈每次回外婆家，外公都要逐件落实要带的东西。他的稿费有一项开支就是给外婆买药。妈妈就这样提着沉甸甸的行李去上海，然后再提着一点也没轻多少的行李回到北京，里面是外婆给外公、姨妈以至江青一人一份的礼物——外婆真心希望外公的家庭能幸福。她说：我不在他身边了，可也不能让他当和尚呀！

其中，妈妈记得外婆给外公带过一只耳挖勺，她记住了外公“油耳朵”的特点和生活习惯。而外公则亲自布置和检查带给外婆的所有礼品，还不时叫妈妈临时加上这件或那件。此时的妈妈，与其说是“大使”，倒不如说是传说中“七七”那天的星空鹊桥，承载着被“银河”隔开的外公和外婆脉脉的深情。外公还托秘书给外婆捎去一方大手帕，那显然是他自己用过的。外婆把它捧在脸旁，思绪激动不已。

但是，这种父亲——女儿——母亲两个家之间的往返模式，在20世纪60年代初期妈妈搬出外公家后中断了。此后，妈妈想见外公已是越来越难。中南海的红墙在妈妈以前看来，是可靠安全的屏障，现在则是隔绝亲情的藩篱。她可能还不知道，很多她所熟识的阿姨、叔叔都在这期间离开了外公身边的工作岗位：侯波、李银桥、叶子龙……换上的新人，和她互不相识，这也可能是她20世纪70年代求见外公努

妈妈与外婆20世纪50年代在上海

力屡屡失败的一个原因。

搬出中南海后，父女从一年见几面，到几年见一面。外公的家，包括还生活在其中的姨妈、堂舅，就这样渐渐离妈妈远去。

· 成家

寂静的中南海 · 丰泽园 · 菊香书屋

外公主持的妈妈和爸爸婚礼合影。1959 年，菊香书屋

到此为止，我已经写到了不少桩婚姻。不是自夸，我觉得妈妈和爸爸的结合即使不属于最完美的，也称得上较圆满的。这也是哥哥和我的福气。

爸爸是妈妈的小学同学，可谓“青梅竹马”，无话不谈。两人的自由恋爱加上外公的开明慈爱，终于促成了这桩美事。那年外公在庐山和外婆会面时还谈到了此事，征求了女儿母亲的意见。一从庐山下

妈妈、爸爸与外公。1963 年，北京

来，他就亲自主持了毛家史上最隆重的婚礼，并留下这张集体合影。从此我的妈妈就有了真正属于自己的家。

1962年，我的哥哥出生了。外公和爷爷两位亲家交换意见后，共同拟定了孔继宁这个名字，意为“继承列宁”。

· 得病

妈妈原本身体就不好，但我认为：在她晚年多病的原因中，外公、外婆的去世是两次很大的打击。

妈妈与外婆在一起

也许，此时妈妈回想起外公在她高中毕业时，曾提出让她照管这个家的建议。妈妈不想当“探春”。她要上学。现在她觉得，如果当时听了外公的话，自己留在父亲身边，他的晚年就不会像后来那样凄凉。

也许，妈妈还想到：自己为了争一口气，证明可以独立生活，所以向中央写信要求迁出中南海的往事。她觉得自己太幼稚了。而在外婆去世后，妈妈又自责没有多和外婆交流，以至没有留下遗嘱。凡此种种，都成了她心中解不开的疙瘩。

星移斗转，世事变幻，外公逝世已27年。现在妈妈与外界的接触

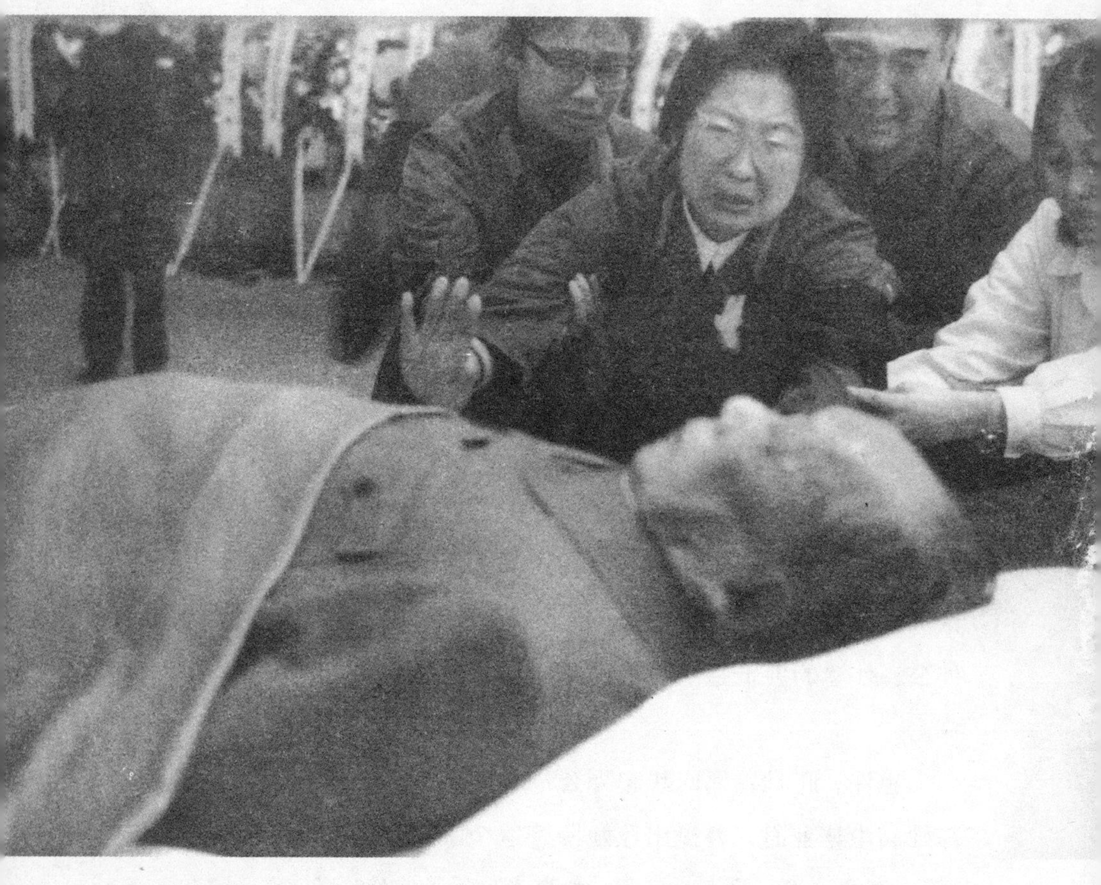

人民大会堂中只能为外公守一天灵的妈妈

不多，但人们并没有忘记她，她在很多普通人的默默关心中度过深居简出，但平和安祥的晚年。妈妈在家什么都干：做饭，洗衣，打扫卫生，基本上就是一个家庭主妇。更多的时候，她自炊自餐。后来部队曾为她选调一位炊事员，但妈妈感觉自己还年轻，女儿也能做饭炒菜，还有热心人时常来打帮手，就让那位小战士回原部队了。和外婆一样，妈妈最怕麻烦别人，宁可自己苦点、累些。

· 治病

随着年龄和能力的增长，对妈妈因自幼身体不好，以及多年积累因素导致的病，我从开始的无能为力，到后来的千方百计。我相信：有过几十年想尽办法照料外婆的妈妈，不会就这么轻易地病倒。

在1999年那个多事之秋，为支撑这个岌岌可危的家，我最终下决心向中央发出了求救信。外婆的战友刘英奶奶给了我帮助。中央分管组织人事的负责人亲自给我打来电话，在交谈中详细询问了妈妈的病情和我家遭遇的种种困难，明确表示了此事完全应该解决的态度，这对处于孤立无助境地的我，是极大的鼓舞。

不久，长期困扰妈妈的各项医疗、药费都得到解决，她终于同意住进医院并积极配合治疗，实际效果非常好，妈妈的精神和身体在迅速恢复。2000年12月26日，多年未出现在公共场合的妈妈来到纪念堂，向外公献上花圈。这一时成为媒体大为关注的新闻。

自此，妈妈也开始参加一些以前本应参加，但却一直无心、无力参加的活动。2003年，妈妈成为新一届全国政协委员。“两会”期间，在我陪护下，她早早到场，决无早退。以她凡事认真的性格，我想肯定对得起这份荣誉。

第七节　宁宁与东梅

写到这，按顺序该到了讲哥哥和我的段落。可是，一来我们兄妹从小受“武将军”外婆和“洋宝贝”妈妈的教育，都是夹着尾巴做人，从小不能说自己是谁的后代；二来在写过外公、外婆以至舅舅、妈妈的传奇经历后，觉得自己实在不好与之并列，否则会有渺小可笑之

1999年重游，与这里现在的工作人员合影。当年我放学回来要踩着书包才能摸到门铃

嫌。可不讲也说不过去，这样影集不完整。好在我们从小的照片还比较多（这是祖辈父辈不可想象的），再重点解释一下我们俩与上几代人的不同。这样，也许就可以搪塞过去了吧？

前边已经说过：1972年我出生在上海，当时有险情——脐带绕颈，很是让妈妈担了一回心。另外从小身体也不大好，妈妈对我可以说是“放在手里怕摔了，含在嘴里怕化了”。我忘不了：童年在酷热的南方生病，弱不禁风的母亲抱过我三天三夜。女儿的病好了，母亲胸前已经被汗水泡烂。她把母爱超量加倍地给了我。

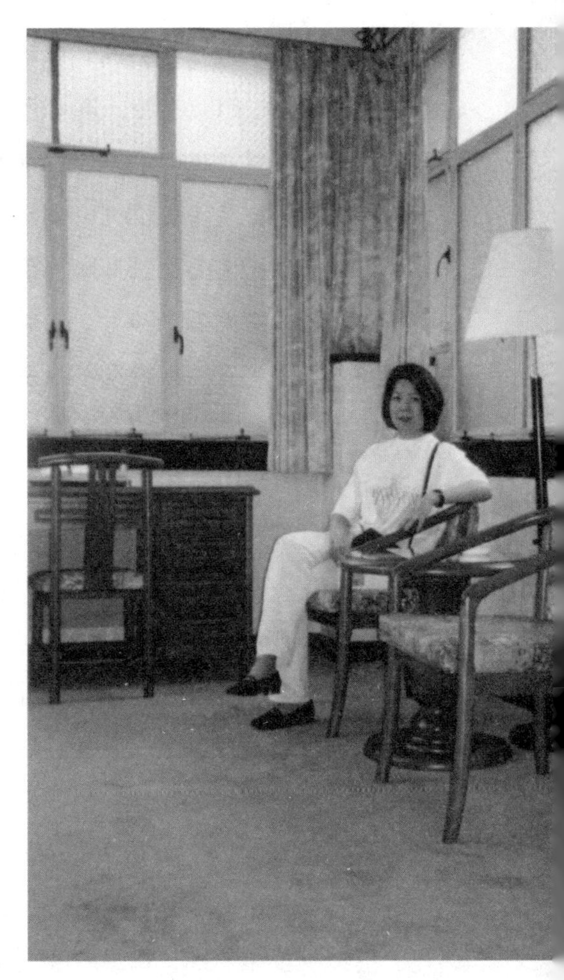

1999年重游。东梅坐的地方便是外婆当年中风的小套间

这种母爱绝非能以金钱物质衡量，可以说带有毛家特色。到了80年代，应该说比战争岁月好了很多，但母亲仍然非常俭朴，有本书是这样描绘的：东梅正在长身体，需要有充足的营养。怎样又省钱又让东梅吃好，这可难为了李敏。她买菜，常常在菜摊上转好几圈，拣便宜的买。在冬天，为了给东

梅换口味，她买暖房出来的黄瓜和西红柿，净挑那些处理的黄瓜头和拉秧的西红柿。（《李敏、贺子珍与毛泽东》）

当然，刚才说的是我八岁以后在北京的情况，而两岁到六岁在上海外婆那里时，完全是另外一种样子。湖南路262号寓所颇为宽敞洋气，工作人员把各方面都照顾得很周到，衣食无忧的我还能在家看看电影。记得外婆常看故事片，我爱看美国影片和动画片，特别是《草原英雄小姐妹》，不知赚去了我多少眼泪。这些是墙外的孩子当年无法想象的。

在她的花园中，有一片小树林。夏天我可以拣到不少蝉蜕，还有一座假山（那是一座中西合璧的别墅）。另外就是种着一株外婆最心爱的腊梅——外公喜欢梅花，妈妈也喜欢，何况我名字里还有它。外婆病逝后，那里变成高级招待所。

但我仍然羡慕墙外的孩子：他们有父母，有朋友，这些是再优越的物质条件也无法替代的。外婆的病使她自顾不暇，父母的工作和收入使他们不可能穿梭于京沪之间看我，结果就是使我在一定程度上重演了妈妈的童年——因孤寂而内向。

然而我终究没有像她那样受苦，毕竟东梅的妈妈与娇娇的妈妈相比，已经有很多不同。妈妈李敏是毛泽东的女儿，是中华民族传统文化的女儿，一定程度上又是俄罗斯民族文化的女儿。别看她中文不大灵光，但对文学（特别是外国文学）的爱好是有相当积累的，这一点对我影响至深。学着她当年的样子，好静的我读了家里所有西方文学作品（尤其是欧美小说），还曾有过这样的理想：当海明威，拿诺贝尔奖……

爸爸、妈妈和东梅。1993年12月26日，外公诞辰100周年当天

因此，上学之后，我舞文弄墨的痕迹开始频繁见诸自编的板报、班刊、系刊和校刊之中。自尊心获得满足后，又开始尝试组织、策划讲座、沙龙、辩论赛一类活动。童年那个不敢开口的小姑娘已经变了，我觉得这应该归功于妈妈——是她在文学爱好方面的熏陶深深影响了我。

外公、外婆去世后的妈妈状态曾经很差：大门不出，二门不迈。不吃药、不看病。夫妻情深，爸爸见劝解无效，便不再多说。那几年他在单位也不顺，于是决定下海经商，所赚来不多的钱都用于纪念外公的事业。哥哥从南京军事外语学院毕业后即驻外工作——他先是在我驻巴基斯坦大使馆任武官助理，两年后因工作出色被调往我驻英大使

全美最古老高校之一：宾夕法尼亚大学图书馆

馆，远隔重洋，难得一见。这个家于是就剩下我们母女，一如妈妈与外婆相依为命的那些日子。

柴米油盐、针头线脑，让我这个在上海花园洋房里长大的女孩一时摸不到头脑。但是经过90年代那几年的磨练，我明白了在中南海长大的母亲持家的不易。1996年，我工作了。昨日的文学青年，不得不蜕掉柔弱的外壳，以早日长出飞翔的翅膀。在泰康人寿工作的三年创业期间，一个开始只有两间办公室，七、八个人的小公司演变成十几万员工的大企业，我则在其中经历了脱胎换骨的变化。这段经历给我一生成长起了转变和催化的作用，也为归国创业奠定了基础。

工作了的我，“名利心”似乎特重，出国梦越做越香。1999年，我考上美国宾夕法尼亚大学攻读硕士学位。比起在国内参与公司创业的激情岁月，异国岁月则是甘苦参半，一言难尽。

在美国两年，学业繁忙之余，我潜心钻进各式各样的文化场所：博物馆、剧院，尤其是书店，以浓厚的兴趣看待多元化的世界。坐着“灰狗”长途车去过美国东西海岸不少城市。最喜欢的是纽约那种气象万千的大都市风格，因为它和小时居住的上海，后来成长的北京在文化包容性上有相似之处。可惜，外婆已经永远等不到外孙女与她共

在宾大的宿舍，这里留下过我多少不眠之夜

享这些激动人心的叙述了。

作为美国最富盛名的“常春藤大学”之一，宾大以其全新观念和密集的学习方式使我茅塞顿开。此时，大洋彼岸妈妈寄来的新书《我的父亲毛泽东》让我顿悟：毛家三代女性都有异国学习经历。29岁出国的外婆算是“老”留学生，四岁出国的妈妈则是小留学生，那当时与外婆几乎同年的我呢？

我知道：曾有多少人对外公当年没有和同学好友一道旅法勤工俭学而惋惜，又对他后来极少出国，谢绝多个国家邀请而不解。这是因为人们相信：以外公对中国国情的洞悉，加上留学出访时对西方文化的学习借鉴，将对中国革命和建设产生多么重要的影响！

当然，历史不相信“如果”。外公当年对自己的选择也做过解释——为了解中国，暂时牺牲出国。后来他把儿女送出国去的做法，是否也有补偿自己缺憾的意思？另外他学习外语的努力更是一生未辍。外婆、舅舅和妈妈的留学地点，当时条件下只能是苏联。而到了20世纪80年代，哥哥就已飘洋过海，到驻英大使馆担任武官助理。世纪之交，我又横跨地球到美国费城上学。每个时代的人都有自己的机会，外公就是善于把握机会的大师。回首兄妹经历，可以说：作为外公的后人，我们也把握住了。

在美国学习“国际政治”，让我对自己的祖国——中国有了许多新鲜的感觉。“不识庐山真面目，只缘身在此山中”，中国，你到底是什么？发生着什么？为什么这样？这是我学习课程时萦绕于心的问题。尽管有各种理论试图说明中国现象，但我始终认为：要了解中国的今天，必须了解外公那辈新中国开创者。

2001 年，我从宾夕法尼亚大学毕业了

旧金山：我最爱的“城市之光”书店

与西点军校的美国帅哥们在一起

与其说外公毛泽东给中国留下至今不会消退的印记，不如说新中国的过去、现在和将来，已经并继续融入外公那一代革命者的理想和追求，两者不可分割。为探求富国强民之路，他们的付出是无与伦比的。记得一句外国名言这样说：没有文化追求的民族没有真正的前途，找不到自己根基的民族没有真正的力量。外公这一辈人探索出的道路是后人不能绕行的，包括歧路、弯路，都为后人应走的正路指明了方向。何况，在这条路上还留下了那么多悲欢离合的故事。历史的天空，永远会有他们应得的位置。

回国之后，我仍然继续自己的学业，这次是在北京大学攻读博士。恰巧，这是一所与毛家有缘的学校——外公的岳父杨昌济讲授伦理学，外公毛泽东在图书馆供职，姨妈李讷从历史系毕业……北大精

东梅代表母亲出席《我的父亲毛泽东》签售仪式

神影响了外公，而外公又重铸了北大精神。就学燕园，使我在浓厚的学习空气中自由呼吸到前辈思想的因子。

凡此种种，最终触发了我从文化角度研究百年毛家以及中国“红色文化”代表人物的决定。记得外公在上世纪20年代初，曾创立过新民学会、文化书社等等。而在目前的市场经济环境中，我创立一个机构，以研究、宣传、出版、传媒为业，不正是对家风很好的继承和延续吗？我想为它选一个有意义的好名字，而一个国人很熟悉的名称就非常自然和贴切，那就是“菊香书屋”。

东梅、妈妈、哥哥2001年12月26日参观毛主席纪念堂毛泽东

菊香书屋，这个位于中南海丰泽园里的明清帝王亲耕场所，曾是外公、妈妈、姨妈生活过十几年的地方。决定回国创业的我，把这四个字用在自己注册的公司名称中。具有如此悠久历史文化积累的一间屋子，在美国是找不到的。而我除了和所有对它有兴趣的人一样宣传它、研究它之外，再没有也不需要其它任何特权。我觉得，这才是外公长期担当人民领袖的全部出发点——任何权力除了为人民服务，再无存在的必要。

北京东润菊香书屋有限公司创办者孔东梅在颐年堂

第四章　江青及我姨妈李讷一家

第一节　外公与江青

江青是1937年底从上海到延安的，当时我外婆贺子珍已出国赴苏，江青从来没有见过她。后来，江青与我外公毛泽东相识。1938年，她调到鲁迅艺术学院当戏剧教师，该年秋天两人结婚。

毛江婚姻初期，夫妻感情还是不错的。婚后，江青调任中央军委档案秘书，主要工作是照顾军委主席毛泽东的生活。

我的外公毛泽东，1937年前后

外公在我姨妈李讷1940年出生前，有十余年左右动荡的战斗生活，其中只有极短暂的时间享受过难得的天伦之乐（与我外婆贺子珍及岸红舅舅）。事实证明，我的外公是个很爱孩子的父亲，姨妈的出生与相对稳定的生活对他的影响是巨大的。妻女的宽慰使外公得以休息，从而集中精力处理为中国求解放、求新生的大事。

解放战争初期，江青与外公转战陕北。据经历过这段历史的老人回忆：在颇为艰苦的行军期间，履行着一个妻子和母亲的应尽责任。当时外公卫士李银桥记

1938年，外公在延安鲁艺讲课

在延安外公的照片明显多了起来。摄影大师吴印咸在为他拍照

得：江青与李讷母女合演京剧《打渔杀家》，让大家忘却了行军苦累。江青还给他们出过一个谜语："日行千里不出房，有文有武有君王。亲生儿子不同姓，恩爱夫妻不同床"。谜底是：唱戏。

外公惟一提及“妻儿”的诗作：

五律·喜闻捷报

一九四七年中秋步运河上，闻西北野战军收复蟠龙作。

秋风度河上，大野入苍穹。

佳令随人至，明月傍云生。

故里鸿音绝，妻儿信未通。

满宇频翘望，凯歌奏边城。

晒太阳的外公父女（吴印咸摄）

外公在延安自家窑洞前

1961年，江青拍摄的照片“庐山仙人洞”因为获得外公的题诗而大获成功。到了第二年，外公又亲自请来名师为她辅导摄影。从此，摄影支出成为毛家一大开销，江青为此不得不压缩为自己添置新衣的费用。这些情况，在近年公开的外公家庭账目中都一一载明。

1947年，外公等骑马行军转战陕北

此外，江青的知名摄影作品还有题为“孜孜不倦”的人物照，“模特儿”则是外公的“接班人”林彪。此照背后的故事，仍是“文革”一大谜案。如果说：太多政治因素使今人看那段历史时，仍经常如“锁在云雾中”，那么有一点则是不会“看不见”的——江青虽然喜欢摄影，摄影也给她成就，但她决不满足于此。江青是演员，演员需要舞台，可本该迈向艺术舞台的脚步却走向了政治舞台。她上错了台，而百姓则看错了戏，而一错就是“十年干戈天地老”——这，就是我眼中的“文革”与江青的关系。

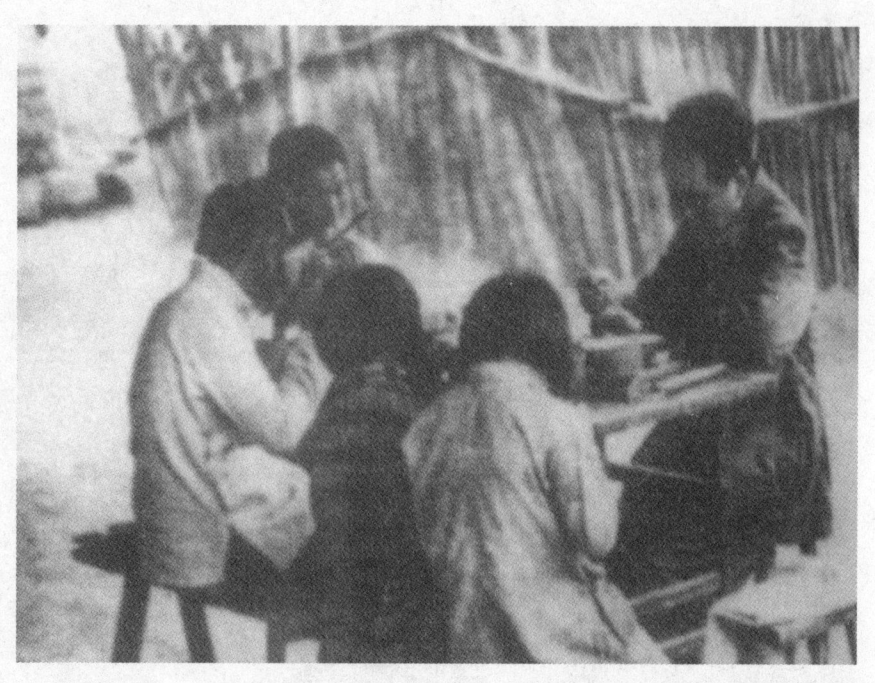

外公等在陕北小河村与房东一家吃饭

外公在读书

外公南巡时与随行人员合影

天安门广场：外公追悼大会

1976年9月9日，外公与世长辞。走完了他辉煌的人生，噩号传出，全国人民乃至全世界都以不同的形式悼念这位伟人。外公的逝世被认为是中国革命以及世界革命的一大损失。

1991年江青去逝。姨妈夫妇被获准向她的遗体告别。江青给后人留下了许多深思。

第二节 我的姨妈李讷

我的姨妈李讷是外公和江青的女儿，1940年生于延安。当时外公已47岁，对这个自己十个子女中最小的孩子特别喜爱。他不忍心把女儿送到保育院，姨妈成了家中惟一和外公度过全部童年的孩子。父女间的昵称是："大娃娃"和"小爸爸"。

1946年，外公给岸青舅舅写信，特地为小女捎了几笔说："妹妹问候你，她已五岁半。她的剪纸，寄给你两张"。撤离延安时，外公起初是带着妻女一道行军，有时亲自还背着幼小的姨妈。后来，他见形势实在严峻，便让女儿随另一支队伍渡黄河到了山西。1947年，外公

外公与姨妈看影集

李敏、李讷，亲爱的女儿：

你们的信都收到了，很欢喜。北戴河、秦皇岛、山海关一带是曹孟德（操）到过的地方。他不仅是政治家，也是诗人。他的碣石诗是有名的，妈妈那里有古诗选本，可请妈妈教你们读。问好，勿念。

亲你们！

爸爸

一九五四年七月廿三日

外公给在北戴河度假的两个女儿的信

在给岸英舅舅的信中还特别关照说："你给李讷写信没有？她和我们的距离已很近，时常有信有她画的画寄来。"慈爱之情跃然纸上。

外公对子女亲属历来是爱之深，责之严。姨妈从小被外公要求去大食堂吃饭。上学后更是不准有丝毫的特殊。这些故事太多太多……困难时期卫士长给姨妈送了一包饼干，受到外公严厉批评。有一次姨妈周末回家稍晚，当时北京大学所在的海淀还很偏僻，公交车已经没有了。姨妈请卫士派车来接自己一下，外公得知后大发脾气。

有次外公问她："今天怎么来的呀？"姨妈说："我坐三轮车来的。"外公又问："哦，那拉三轮的师傅都和你聊了些什么呀？"姨妈答："没说什么。他拉他的，我坐我的。"外公摇了摇头说："要是我呀，一定和师傅好好聊聊……”姨妈后来明白了父亲的一番苦心：他教育子女不搞特殊化已足以证明其伟大，而伟人自己也一直向往常人的生活啊！

今天我们已非常难以理解外公这样对待子女。现在的家长只要稍有条件，恨不得用蜜糖把孩子包起来。看看千里迢迢送子女上大学，辛辛苦苦在宿舍里为他们铺床的父母们，再想想身为国家最高领导人的外公如此要求自己舐犊情深的女儿——这就是成就伟业的毛泽东，一般人确实是难以达到他的高度的。现在，我把这些故事写下来，也许能对世人有所启示。记得外公建国后曾有为青年人写书的愿望，可

中南海结识——周秉德、李敏、李讷、陈小达

（注：陈小达（1935–1960），乳名小老虎，陈伯达之子。四岁随周恩来赴苏，与李敏在国际儿童院同学。）

惜未能如愿。作为当代青年人，我这也算是替他还愿吧。

外公对女儿的爱，真正表现在他对女儿的精神、品德教育上。姨妈自小体弱多病，外公常鼓励她在病中要有坚强的意志。1958年姨妈得盲肠炎，外公在信中写道：“意志可以克服病情，一定要锻炼意志”——这也是他的经验之谈。

1963年，姨妈给父亲的信中，痛陈自身存在的缺点，汇报思想收获，说自己读了《庄子·秋水》的感受是：自高自大是不可取的。外公为女儿的进步高兴。他回信道：“接了你的信，喜慰无极。你痛苦忧伤，是极好事，从此你就有希望了。痛苦、忧伤，表示你认真想事，争上游、鼓干劲，一定可以转到翘尾巴、自以为是、孤僻、看不起人的反面去……”

姨妈回信后，外公再回一信：“极高兴。大有起色，大有雄心壮志，大有自我批评，大有痛苦、伤心，都是好的。你从此站立起来了，因此，我极为念你，为你祝贺。读浅、不急，合群，开朗，多与同学多谈，交心，学人之长，克己之短，大有可为。”而今读来，也深感外公的拳拳之心。

我的妈妈和姨妈在整个50年代都和外公住在一起，姐妹关系一直融洽。而妈妈结婚后，特别是搬出中南海后，来往就比较少了。但在那动荡的十年，妈妈记得姨妈曾两次受外公委托，到红墙之外看望自己。

她带来的是父亲对女儿的关切，还有妹妹对姐姐的祝福。也许只有亲历困苦的人，才能体会此时的深意吧！

就这样，她们各自度过了多事的中年时期。如今，进入老年，历经人生悲欢的两姐妹常有机会见面，也联袂出席活动。妈妈和姨妈回

外公参加中共“十大”。姨妈因为是大会代表，才有机会远远见父亲一面

忆着和我外公在一起的日子，有说不完的话题。

姨妈1965年从北大历史系毕业后，以她特殊的角度见证了文革初期那一段纷云复杂的历史。然而，好学深思、恬淡平和的姨妈与波谲云诡、百口莫辩的政治显得那样不协调。后来，她也和数以万计的机关干部一起，被下放到“五·七”干校劳动。

外公逝世之后，姨妈有过一段异常孤独、困难的时光。由于江青在京北远郊秦城监狱服刑，她常常要花费整天的时间，乘公共汽车去那里探监。但是，人们并没有忘了她。在外公卫士长李银桥夫妇的大力帮助下，姨妈1984年和我现在的姨夫——王景清结婚，长期住在北京市民那种简朴而局促的房子里，过着老百姓平静而自由的生活。

姨妈有一独子，现名王效芝。我的效芝表弟继承了毛家和姨妈自

经历人生悲欢，姐妹暮年相聚

尊、自强的个性，不喜欢抛头露面。同时，作为当代青年，他选择了一条与父母一辈人完全不同的独立生活道路，在此，我祝福表弟，希望他事业有成！

2003年春，姨妈李讷和我妈妈李敏一起被选为新一届全国政协委员。在大会堂一望无际的席位中，姨妈又展现出从儿时至今依旧灿烂的笑容。

第三节　这张合影让我想到……

2003年3月，我的妈妈第一次“上任”了：一年一度的全国政协会议在北京开幕。出于身体原因，那天她被我扶着走进了大会堂。姨妈李讷则已轻车熟路，她是1999年被特别增补的委员。后来，我又看到这张三位长辈在会场的合影——五十年后：中南海小伙伴，大会堂女委员，心里顿生许多感慨。

大会堂相会——周秉德、李敏、李讷

我想：一是她们变了，二是北京变了。

50年，她们变了：从天真烂漫的少女成了慈祥睿智的老妇。儿女一个个长大成人。不过，妈妈没有变，姨妈没有变，从小有着喜人笑容的秉德阿姨也没有变，两张照片记录下了这一切。

50年，北京变了：连小伙伴当年欢快游戏的中南海都已人物皆非，经历了沧桑大变，何况红墙外的老城呢？外公青年时所喜欢的北平古树，现已日见稀少。但顽强活下来的，每年仍在绽放新芽；岸英舅舅着迷、异国它乡绝对没有的牌楼、石桥，则以更快的速度消失，在它们的遗迹上，建起了一座座互相比着高大的楼房，里面有着无数的商家，其中也包括我这间小小的公司。

至于外公子女的三个家：舅舅家、妈妈家和姨妈家，也已不是昔日面貌。我家从老北京城的景山旁搬出，向北移了十几公里，在城市纵轴的北方；姨妈家也已搬出了城里的蜗居，住到了长安街延长线上，在城市横轴的西方；从她们家再一直向西，则是住在西山幽静小院的舅舅家。再望过去就是香山，舅舅、妈妈和姨妈曾与外公在那里度过难忘的幸福时光。

人会变老，城会变大，而家呢？

每年初秋的9月9日，还有隆冬的12月26日，是我们三家聚会的日子。作为永远的家长，外公在北京市中心天安门广场上的“家”里召唤着我们。当然，我不会忘记京西八宝山那个院落，外婆和老战友“济济一堂”，那是她最后一个“家”。

明年就是外婆去世20周年，泽民外公牺牲至今60周年，舅舅今年

80岁，外公则已110岁……时间在这里起着最终的裁判作用，谁也概莫能外。可以肯定的是：外公身后的毛家人，在这个融化着他的气质的城市里，过着和你、我、他一样的生活，各自继续着自己照片背后的故事。

卷尾语：

天安门前，外公像下5月的北京，春光明媚。然而长安街上、天安门前却是人迹罕见，行色匆匆。非典疫情使这里仿佛退到了20多年前我和外婆刚从上海过来时的样子。那时，路上的车也是那么少。

为了本书能有最新的图片，我约了朋友，到这个十足广阔而特殊，又与外公无法分开的地方拍几张照。

我来到悬挂在天安门城楼的外公像前，伏在汉白玉栏杆上，留下了这张照片。外公曾说自己长着一张“大中华”面孔。他确实是和中国，和中国人民分不开的。而你、我、他，只要是中华儿女，都无法与“大中华“绝缘。

附录：

作者与本书人物亲属关系

	人物	谱名或别名	生卒	备注（［ ］内为曾用名）
第一代	外曾祖母文七妹	文其美	(1867－1919)	
	外曾祖父毛顺生	毛贻昌	(1870－1920)	
	外祖父原配罗氏	罗一姑	(1889－1910)	
第二代	外祖父毛泽东	毛润芝、李得胜	(1893－1976)	妻罗氏、杨开慧、贺子珍、江青
	外叔祖父毛泽民	毛润莲、周　彬	(1896－1943)	妻王淑兰、钱希均、朱旦华
	外叔祖父毛泽覃	毛润菊	(1905－1935)	妻赵先桂、周文楠、贺怡
	外姑祖母毛泽建	毛达湘	(1905－1928)	夫陈芬
第三代	大舅毛岸英	毛远仁、杨永福	(1922－1950)	妻刘松林［刘思齐］
	二舅毛岸青	毛远义、杨永寿		妻邵华［张少华］
	二舅毛岸龙	毛远智、杨永泰	(1927－1931)	
	母亲李敏	毛娇娇		夫孔令华
	小姨李讷	萧　力		夫王景清
	其他舅姨：			
	福建出生的姨	毛金花	(1929－ ?)	
	毛岸红		(1932－ ?)	
	江西出生的舅		(1933－1933)	
	贵州出生的姨		(1935－ ?)	
	莫斯科出生的舅	廖　瓦	(1938－1938)	
	堂姨毛远志（毛泽民之女）		(1923－1990)	夫曹全夫
	堂舅毛远新（毛泽民之子）	李　实		妻全秀凤
	堂舅毛楚雄（毛泽覃之子）	毛远大	(1927－1946)	
第四代	哥哥孔继宁			
	表哥毛新宇			
	表弟王效芝	李小宇		

后记

我家老影集，同时也是一个中国家庭近百年来的影像史。可能，世上没有哪一家的影集，能收录这么多位名家大师的作品：斯诺夫妇、吴印咸、侯波、徐肖冰、杜修贤……，还有不计其数的，知名或无名的摄影师。多亏他们，让我不仅见到外公、外婆的身影，还能走进他们的心灵。借此机会，我要对那些忠实记录历史的前辈表示自己的敬意。

本书的写作参考了大量党史文献资料和回忆文章，得到了包括中央文献研究室、新华社、《解放军画报》、湖南韶山管理局、毛泽东纪念馆在内的多方面大力支持。在此，我向上述单位，向所有为本书出版付出心血的人们表示感谢！